el *tesoro* ESCONDIDO del *Sufrimiento*

Basilea Schlink

Cuarta edición en español publicada en Colombia
por A.M.S. con permiso de E.M.S.
2000 ejemplares - Octubre de 2002

© 1983 E.M.S.
Darmstadt - Eberstadt, Alemania
Todos los derechos reservados.

Título original en alemán: *Zum Gewinn ward mir das Leid*

Todas las citas de la Sagrada Escritura en esta
publicación son de la versión "Dios habla hoy",
revisión 1983.

Derechos de autor a © A.M.S.
Carrera 36 No. 104-90
Teléfonos: (571) 236 4530 - 256 1447
Fax: (571) 616 9209
Página web: www.ams.org.co
E-mail: amsad@epm.net.co
Bogotá, D.C., Colombia

Edición de texto, diagramación y carátula:
Creãre Editores

ISBN
958-96025-0-9 (Colección A.M.S.)
958-8027-36-5

Impreso por:
Editorial Kimpres Ltda.
Bogotá, D.C. - Colombia

Impreso en Colombia - Printed in Colombia

Acerca de la carátula

A veces en nuestra vida, pasamos por sufrimientos que parecieran inútiles y que nos hacen sentir en el fondo del mar, sin ver solución alguna pero que nos llevan a encontrar al gran amor de nuestras vidas: Jesucristo, la perla preciosa (Mateo 13:46).

Cada lágrima derramada es similar a un cuerpo extraño que al ser recibido por la concha, lo va cubriendo de capas hasta dar como resultado una perla de gran valor. Así el Señor recibe nuestros dolores, los va sanando, cubriendo poco a poco con su bálsamo de amor hasta que un día descubrimos que el dolor ha sido transformado en gozo.

c o n t e n i d o

El sufrimiento
es como un campo
que contiene un tesoro escondido,
porque en el sufrimiento
hay verdadero gozo, bendición
y vida divina escondidos,
esperando ser descubiertos
por nosotros.

1 preocupaciones

Estás rodeado de preocupaciones que se niegan a dejarte en paz por las noches. Tienes una dificultad, una situación delicada y no puedes ver una posible solución. Montañas de preocupaciones se amontonan ante ti, y no sabes cómo quitártelas de encima o de dónde podrá venir ayuda. Quizás el peso del trabajo te está deprimiendo y temes que no vas a poder arreglártelas, debido a la falta de tiempo y de fuerzas. O posiblemente estás pasando por necesidades financieras. Puede que te preocupen tus hijos, a causa de los problemas que están afrontando por su crecimiento y dificultades concernientes a recibir una educación adecuada para su futuro. Puede que estés cargado con preocupaciones que proceden de la enfermedad, o por la avanzada edad de tus padres. Éstas y mil preocupaciones más te están oprimiendo.

A menudo, nuestras preocupaciones son humanamente justificables, pero, aun así, sería bueno que le pidiéramos al Señor que nos iluminara. Tal vez la culpa es nuestra. Algunas personas se pierden en la ansiedad cuando sus deseos y demandas no se cumplen. Consideran que estos deseos son

9

esenciales para la vida, cuando en realidad no lo son. Algunos pueden sentirse muy frustrados cuando no logran conseguir cierta posición en su carrera o en otras áreas de la vida por la que se han esforzado tanto. En este aspecto, unas simples preguntas pueden ser de mucha ayuda: ¿Es la voluntad de Dios que me sienta inquieto por este asunto en particular? ¿Me estoy preocupando porque quiero algo que no debo tener y que no me beneficiaría? Con qué facilidad se pueden resolver los problemas de esta naturaleza, si sometemos nuestra voluntad a Dios: «Lo que Dios no me dé no lo quiero tener, porque por el hecho de que Él es Amor, siempre me guiará por los mejores caminos. Si tuviera un camino mejor para mí, me hubiera dirigido por él».

No obstante, hay preocupaciones de otra clase, y que son realmente comprensibles, especialmente cuando se trata de personas cuyo cuidado se nos ha confiado. Estas preocupaciones pueden suponer una terrible carga para nosotros, y esto lo sé por experiencia propia como madre espiritual de una comunidad con aproximadamente 200 hermanas, muchas de las cuales están en filiales en el extranjero, y algunas veces en países muy distantes. A causa de la unión tan íntima que existe entre las diferentes filiales y la Casa Matriz, muchas dificultades y problemas llegan a mis oídos, como asuntos que requieren de consejo, enfermedades, problemas de falta de personal y otras cosas por el estilo; según la situación particular del país. A esto se suman todos los asuntos que ocurren en nuestro refugio central, la pequeña *Tierra de Canaán*, en Alemania. Así, día a día, me enfrento con muchos problemas y muy a menudo no sé cómo se tienen que resolver.

Las preocupaciones pueden ser especialmente deprimentes si aumentan el sufrimiento y causan implicaciones futuras. Pero el Señor me mostró una solución para cada montón de preocupaciones: tener la seguridad de que todas las dificultades y problemas que nos acosan son parte de un plan eterno de Dios. Como nuestro Padre amoroso, Dios ha tomado todo en consideración y nos ha dirigido hacia esas dificultades, pero al mismo tiempo ha planeado la solución y una salida; porque un verdadero padre nunca deja a su hijo sin ayuda.

Tan pronto como puse mi confianza en este hecho, pude dar gracias y decir: «Tú tienes la solución y por tanto la pondrás en mi corazón y mente, ahora que te la estoy pidiendo». Por ejemplo, cuando tenemos que tomar decisiones en nuestro ministerio, si no encontramos una solución posible, hago una pausa de vez en cuando y pido al Padre Celestial que nos ayude, dándole gracias al mismo tiempo, diciendo: «Tú ya tienes la solución a estos problemas y por tanto nos vas a mostrar el próximo paso para resolverlos». Y después, con frecuencia, de repente se nos abre una puerta. Yo puedo testificar esto, así como algunas de nuestras hermanas que tienen un puesto de responsabilidad.

Cada vez que me enfrento con una dificultad, empiezo a alabar a nuestro Padre Celestial, declarando quién es Él: un Padre que nos ama y sabe lo que necesitamos. Luego comienzo a cantar:

Sí, confío en ti, Padre,
yo confío firmemente:
tienes tú la solución.

Sí, confío en ti, Padre,
yo confío firmemente:
tú de todo cuidarás.

Sí, confío en ti, Padre,
yo confío firmemente:
el camino mostrarás.

Sí, confío en ti, Padre,
yo confío firmemente:
la ayuda, sí, vendrá. *

* Puedes crear una frase aquí conforme a tu necesidad.

Cuando hago esto, mi corazón se llena de gozo, alabanza y de agradecimiento por tener un Padre en el cielo tan amoroso y tan solícito. Yo sé que tanto la ayuda como la solución está en camino, y... siempre llega.

Quizás también tienes varias responsabilidades y estás perdido: no sabes cómo actuar en ciertas situaciones, cómo aconsejar a tus hijos, cómo resolver una dificultad en particular o cómo desenredar un asunto difícil que tiene muchos «nudos». Entonces... ¿porqué no intentas con el método que el Señor me ha mostrado y que, personalmente, me ha resultado tan útil? Descubrirás cómo las montañas, en este caso montañas de preocupaciones, se derriten como la cera ante el Señor (lee el Salmo 97:5). Sí, Dios es el Todopoderoso, aquel que pronunciando una simple palabra puede cambiar todo: personas y circunstancias que posiblemente estan creando dificultades, problemas y necesidades. Todo es posible para Dios, y Él hará todo lo que esté en su poder para ayudarnos, porque somos sus hijos en Jesucristo y nos ama. A menudo se trata solamente de tener un poco de paciencia y esperar, pues lo que sí es cierto es que Él nunca llegará tarde con su ayuda.

Cuando tengo montañas de preocupaciones, el factor decisivo es que voy a Dios, mi Padre, como lo haría un niño. Refiriéndose al Padre, el Señor Jesús dijo: «*¿Acaso alguno de ustedes, que sea padre, sería capaz de darle a su hijo una culebra cuando le pide pescado, o de darle un alacrán cuando le pide un huevo?* (Lc. 11:11-12). Si un padre terrenal cuida de sus hijos y si un hombre ayuda a su amigo en necesidad, cuánto más el Padre Celestial mostrará sus bondades a aquellos que le pidan. Si confiamos en el amor y en la ayuda del Padre, Jesús garantiza que lo experimentaremos, si, por supuesto, pedimos como lo haría un niño.

Una vez, hace muchos años, cuando estaba orando en momentos en que nuestra organización se encontraba en una situación muy difícil, y ningún ser humano podía ayudarnos, el Señor me dio este texto bíblico. Durante muchas semanas cantamos este versículo después de almorzar: «¿Qué padre entre ustedes, si su hijo le pide pan, le dará una piedra? ¡Ningún padre lo haría!» . (Ninguno, ¡si es que es verdaderamente un padre!). Cuánto más podía yo contar con que nuestro Padre Celestial enviaría la ayuda

13

prometida... Y realmente lo hacía, aunque todo parecía completamente imposible. Como un milagro que ocurría ante nuestros ojos, la montaña de preocupaciones se desmoronaba.

Cuando las preocupaciones amenazan con hundirnos, necesitamos tomarle la palabra a Dios, afirmarnos en ella y recordarle siempre su promesa de ayuda: «Esto es lo que tú prometiste, y tu nombre es sí y amén. Así sé que actuarás conforme a lo prometido y experimentaré que mis dificultades y todas mis preocupaciones desaparecerán. Porque, ¿qué puede ser imposible para ti? Nada es imposible, aunque humanamente no haya solución para mi problema ni una salida para mi dificultad».

Dios tiene un camino. Él puede ayudarnos en cada situación, y hará que se cumpla su promesa de las Sagradas Escrituras: «*Dejen todas sus preocupaciones a Dios, porque Él se interesa por ustedes*»(1 Pe. 5:7). Sí, Él se preocupa por nosotros en cada situación.

Quiero animarte a confiar en el Padre. Deja de darle vueltas a tus preocupaciones. En lugar de volver constantemente sobre ciertas dificultades, imposibilidades, problemas y personas; así como cualquier otra cosa que pueda estar preocupándote, continúa pensando en el Padre, en quién es Él, y que está comprometido a ayudarte y a darte la solución sólo por amor.

Dale marcha atrás a tus pensamientos y empieza a dar gracias porque Dios es tu Padre y que tú, como Su hijo, puedes acercarte a Él y entregarle todas tus preocupaciones. Y así, cuando estés en medio de problemas y dificultades podrás decir:

¡Cómo te agradezco, Padre mío!
Tu ayuda vendrá con seguridad.
No me abandonarás, sino que proveerás
la solución a mis problemas.
¡Qué privilegio ser un hijo tuyo,
a quien amas y a quien vas a ayudar
en el momento más oportuno!

2 relaciones difíciles

Tú necesitas ayuda. La vida te ha llegado a ser insoportable a causa de las relaciones difíciles con otras personas. Quizás es tu cónyuge, tus hijos, tus compañeros de trabajo o tus vecinos. Sea lo que sea, estás sufriendo mucho y no puedes ver ninguna solución o salida. Pero también para este sufrimiento Dios tiene una «medicina espiritual», que te traerá ayuda y sanidad. Lo he experimentado personalmente, lo mismo que muchas otras personas.

Durante un tiempo viví en la misma casa con una persona histérica. Afligida por el egoísmo, la envidia y la rebelión, esta persona convirtió mi vida en una miseria, ya que ella no era capaz de ver nada de una forma objetiva o bajo la perspectiva correcta. Todo lo torcía. Las acusaciones y los ataques de ira estaban a la orden del día. Apenas sí podía soportarla. Debido a que esta persona lo estropeaba todo, empecé a sentir amargura y estuve tentada a rendirme en mi esfuerzo por soportarla. Ya no había forma de comunicarnos. Se había abierto una brecha y parecía como si nada pudiera restaurarla jamás. Todos los que se dieron cuenta de lo que estaba pasando me aseguraron que nada

17

podría sanar esta relación ya rota. Entonces, de una forma milagrosa, se arregló. Realmente fue así. ¿Cómo sucedió?

Un día, en medio de mi desgracia, pedí fervientemente en oración al Señor, que me ayudara y me dijera lo que debía hacer para que hubiera un cambio en esta situación tan insoportable. Entonces, de repente, fue como si el dedo de Dios estuviera apuntando hacia mí y no a la otra persona. «Tú eres la que tiene que cambiar. Crees que toda la culpa es de la otra persona y nunca se te ocurre que puede ser también culpa tuya. ¿No dice uno de los mandamientos más importantes, que ames a tu prójimo como a ti mismo? ¿Dónde está tu amor por esa persona? ¿No es ella también tu prójimo? Tú ya no la amas y eso es un pecado contra el amor. Y eso no es todo. Incluso te has dejado arrastrar por el resentimiento y estás acumulando pensamientos amargos, aunque la Biblia dice que la amargura, el negarse a perdonar a los demás, es uno de los pecados más serios y nos excluye del Reino de Dios (ver Mt. 6:15; 18:34; He. 12:15). Le estás permitiendo a Satanás, el acusador, que te atraiga hacia su lado, ya que las acusaciones siguen anidándose en tu corazón. Ante Dios tú eres culpable. Sabes que esa persona es bastante inestable, mientras que tú eres perfectamente normal. Deberías haber vencido esta prueba con un espíritu de amor y perdón. Pero no lo hiciste. Cada vez que había una explosión de ira, te retirabas y cerrabas tu corazón».

Es como si Jesús dijera: «Como tu juez, yo te pregunto hoy: ¿dónde está tu perdón y tu amor? El amor no toma en cuenta el mal que otros le hacen. En ti no he visto un amor perdonador, aunque en tus pecados y fallas siempre estás viviendo de mi amor perdonador. Así que empieza a orar ahora, pidiendo un arrepentimiento por este gran pecado de falta de perdón y de amargura. Cuando tu corazón esté lleno de contrición, te apresurarás a los pies de mi cruz y recibirás el perdón por mi sangre derramada. Al mismo tiempo mi sangre te limpiará, haciendo que tu duro corazón se ablande, y, en vez de la amargura, fluirá de él el amor».

Desde ese día oré fervientemente pidiendo un profundo arrepentimiento. Durante las siguientes semanas y meses aparté 20 minutos cada mañana para hacer esta oración. El Señor, en su misericordia, respondió a mi oración, y lo que Él dijo se hizo realidad: el arrepentimiento me acercó, como una pobre pecadora, a mi Señor Jesús mucho más que antes, y experimenté que Él hizo algo nuevo en mi corazón: me dio un amor misericordioso por aquella persona que me hizo la vida tan difícil.

Entonces, llegó otro de aquellos días de prueba. Todavía puedo recordar el lugar en donde estábamos cuando nuevamente toda su ira cayó sobre mí, y, para mi asombro, me di cuenta de que estaba reaccionando de una forma diferente. En vez de cerrar mi corazón en defensa, pude sentir un amor compasivo que fluía dentro de mí. Tomé a aquella persona en mis brazos y le di un beso, de tal forma que se contuvo y me miró llena de asombro. Desde ese día, las cosas cambiaron y nuestra relación comenzó a ser restaurada. Ya no parecía imposible, o fuera de toda esperanza, que se pudiera forjar un lazo de amor, ya que se había creado un nuevo fundamento. Se había producido un cambio como en un escenario giratorio. Ya no era la otra persona quien tenía la culpa sino que era yo quien había fallado. Y me sentí impulsada a pedirle perdón. Esto abrió su corazón. Con el tiempo, nuestra relación mejoró y aquella persona experimentó una transformación completa.

Y... ¿cuál fue el punto de partida para esta nueva relación? Aquí había funcionado el «*principio del escenario giratorio*»: si antes veía sólo el mal que la otra persona hacía y la forma como se portaba conmigo, de repente, el escenario giraba y podía ver mi propia falta, veía que yo era la culpable.

Cuando clames al Señor en medio de tu aflicción, experimentarás lo mismo, porque Él es el mismo Dios y Padre. Si oras fielmente pidiendo un corazón contrito, Él oirá tu oración y te dará arrepentimiento. Entonces, tu relación con la otra persona experimentará una transformación.

A cambio verás que tus dificultades en el trato con la otra persona realmente te traerán algo muy precioso. Verdaderamente, el sufrimiento siempre viene con cosas preciosas. En primer lugar, en la situación angustiosa puedes ver tu naturaleza pecaminosa, y la verdad nos hace libres — libres del tremendo pecado de egoísmo, libres del resentimiento y de la amargura, libres del fariseísmo, que siempre culpa a los demás. Y así la traumática experiencia de una relación destrozada nos acercará a nuestro Señor Jesús, porque nada nos une más con Jesús y con el Padre que acercarnos a la cruz como pecadores penitentes. Esto llena de gozo el corazón de Dios y Él permite que este gozo fluya hacia nuestro corazón. Jesús, en su amor, se acerca al alma que reconoce humildemente su pecado, delante de Dios y del prójimo. Nos llena de gozo y paz, mientras que cuando acusamos a la otra persona nos sentimos infelices, afligidos y sin paz.

Por esto, no podemos hacer otra cosa que alabar a Dios por permitirnos llegar hasta el final de nuestros recursos en nuestra relación con los demás y por iluminarnos para poder ver nuestros pecados y culpas, y así es como experimentamos su compasión e infinito amor y perdón. Por medio de ese sufrimiento, Dios quiere darnos el más precioso de los dones, el don del amor. Si consigue llenar nuestro corazón de amor, de un amor misericordioso por nuestro prójimo, por aquel que es una carga para nosotros, entonces seremos las personas más felices; porque nada puede hacernos más felices que amar a los demás, incluyendo a aquellos que nos hieren. Como almas amorosas entraremos en su Reino de amor y gloria en el cielo, y no seremos excluidos. Por lo tanto, ¿qué ganamos del sufrimiento de tener que vivir con una persona difícil? Una bendición inmensurable.

3 temor

Tienes temores. Estás atormentado, atrapado por el temor. El temor te lo estropea todo —las bendiciones que has recibido y todas las demás cosas que podrías haber disfrutado. Quizás tengas visiones de calamidades que te acechan por todas partes, preparadas para descender sobre ti y tus seres queridos. También tienes miedo: miedo de enfermedades graves, o de entrar en bancarrota como resultado de la situación económica y de la creciente incertidumbre de nuestra existencia. Tienes miedo de que te roben, de actos de violencia o del terrorismo, cosas que son de frecuente actualidad. Temes a los poderes demoníacos, a las maldiciones y a los hechizos con sus terribles efectos. Temes insurrecciones, batallas callejeras, al hambre; temes una persecución contra los cristianos. Temes una guerra nuclear...

El mismo Jesús dice: «*En el mundo, ustedes habrán de sufrir...*»(Jn. 16:33). Él profetizó que en los tiempos finales, los cuales ya han comenzado, «*la gente se desmayará de miedo*»(Lc. 21:26). Sí, el temor puede costarnos nuestra salud. El temor puede ser fatal. Es un

temor

hecho más que probado: el temor y el sobresalto son la causa más común de muerte en accidentes automovilísticos.

¿Cómo podemos vencer este sufrimiento, esta gran enfermedad del temor, especialmente si somos temerosos por naturaleza?

Permíteme que te comparta la forma en que una persona temerosa como yo pudo vencer el temor. Durante la Segunda Guerra Mundial, yo estaba sirviendo en una sociedad misionera como conferencista, y mis viajes me llevaron por toda Alemania. Con frecuencia, experimenté incursiones aéreas, incluso bajo el fuego de aviones que volaban a muy poca altura. Cuando mi corazón se llenaba de temor, decía una oración que me ayudaba muchísimo: «¡Es por ti, Señor Jesús! ¡Es por ti por quien estoy llevando a cabo este ministerio que me acarrea tantos peligros!». En la medida que me entregaba a la dirección de Dios, podía sentir su cercana presencia y todo mi temor se desvanecía.

Después vino la crisis de Cuba en 1962. Había una agitación considerable y una alarma general de que esa podría ser la chispa que incendiara de nuevo al mundo. En su temor, numerosas personas vinieron a nosotras desde varios lugares, en busca de alguna garantía de seguridad. Todavía recuerdo el sentimiento de temor que bullía en mi interior. «¿Qué sucederá si estalla otra guerra mundial?», me preguntaba. «¿Será más terrible que la anterior?» Esta vez yo tenía a otras personas en las cuales pensar, ya que era responsable de una gran familia de Hermanas. (¿No crees que nuestro temor por los tiempos difíciles que se aproximan, muchas veces se hace mayor, no tanto por nosotros mismos como por aquellos a los que amamos?) Sin embargo, mis temores fueron dispersados una vez más por el hecho de sentir la presencia de Jesús y la seguridad de que «*Nada me puede pasar a mí (ni a mis seres queridos) fuera de lo que Dios ha escogido y lo que es bueno para mí*»[1] .

La causa de nuestro temor es por haber excluido a Jesucristo de nuestra manera de pensar y de nuestra fe. Pero si permitimos que Jesús entre en aquellas situaciones que hemos imaginado y que nos atemorizan, entonces, de una forma inmediata todo se tornará diferente. Ya no existirá esa terrible sensación de lo inevitable. Jesús romperá nuestras ideas preconcebidas y el ciclo de temor en el que estamos atrapados. Y así podremos descansar en la seguridad de que Él está presente. De la misma forma que se acercó a sus temerosos discípulos hace mucho tiempo, se acercará a nosotros diciendo: «¡Paz a ustedes!»(Jn. 20:21). Con el sonido de estas majestuosas palabras, su paz viene a nuestro corazón y nos sentimos confortados. Tenemos que creer que la aflicción y desgracia que estábamos temiendo no se desplegará automáticamente con todo su horror, sino que el Señor gobernará —Él, que es tan diferente a nosotros y a nuestra forma de pensar—. En la misma medida que lo creamos, experimentaremos su poder transformador.

Jesús viene a nosotros como una Luz para encender las tinieblas y como el Príncipe de Paz para darnos paz y para disipar nuestros temores. Se acerca a nosotros como nuestro auxiliador y nos ayuda en nuestra aflicción. Si aquello que temíamos se hace realidad, Jesús está presente para

---

1 - Palabras de un himno alemán.

ayudarnos, pues así es como actúa el amor. Él trata con nosotros de acuerdo con su poder sobrenatural. Cuando estamos en peligro y aflicción, Él puede darnos la ayuda que necesitamos y otorgarnos la asistencia milagrosa de su cuidado protector, cuando ya nadie más puede ayudarnos. Cuando esté cerca de nosotros podremos experimentar la realidad del Salmo que dice: «*Cuando me encuentro en peligro, tú me mantienes con vida; despliegas tu poder y me salvas de la furia de mis enemigos*»(Sal. 138:7)

Nuestro temor se transformará en valentía si creemos que Jesús vendrá a nosotros cuando estemos en medio de nuestro temor. Esto fue lo que le pasó a los discípulos en el mar de Galilea cuando las olas amenazaban con devorarlos y gritaron de temor. De repente, Jesús estaba con ellos diciendo: «*¡Tengan valor, soy yo, no tengan miedo!*»(Mt. 14:27). Es como un mandato: «No teman. No traten mi amor con desdén cuando sientan miedo, cuando están afligidos». Jesús también nos dice: «*¡Tengan ánimo!*» Él se apresura a ir hacia aquellos que están afligidos y en peligro. Sí, cuando las rugientes olas estén a punto de destruirnos, Jesús vendrá y Él, que ordena a las olas y que toma el gobierno del barco en sus propias manos, lo hará también por nosotros. Con brazo fuerte nos guiará sobre las olas, a salvo. Nadie nos ama tanto como nuestro querido Señor Jesucristo, y, por tanto, ¿no será capaz de ahuyentar todo nuestro temor?

¿Estamos temerosos de un sufrimiento en particular que se acerca a nuestra vida? El temor solamente puede dominarnos cuando no estamos dispuestos a aceptar tales dificultades y a decir: «Sí, Padre». Nuestra falta de entrega proviene de nuestra negativa a confiar en el amor de Dios, el Padre, quien no permitirá que seamos tentados más allá de nuestras fuerzas (ver 1ª Co. 10:13). «*Donde hay amor no hay miedo*» (1ª Jn. 4:18). Por otra parte, si tenemos el temor correcto delante de Dios, es decir, un temor piadoso y una reverencia por el santo Dios, nuestro temor y miedo agonizantes, a causa de los eventos que se aproximan, desaparecerán. Así ya no estaremos más atemorizados por el sufrimiento que se avecina y el daño que nos puedan hacer los demás. Más bien, tendremos temor de causarle dolor a Dios, y no traer a la luz nuestros pecados, para así ser limpiados de ellos. Si perdemos a Dios perdemos todo, pero si le tenemos, entonces, tenemos todo lo que necesitamos, incluso en los tiempos más difíciles. «¡Si Dios está a nuestro favor, nadie podrá estar contra nosotros!». Entonces podremos declarar como el apóstol Pablo: «*...ni la muerte, ni la vida... ni lo presente, ni lo futuro... ¡Nada podrá separarnos del amor que Dios nos ha mostrado...*» (Ro. 8:31, 38, 39).

Así que en tiempos de temor, ya sea en el vivir de cada día como el panorama de un futuro peligroso, nuestra principal preocupación debe ser que Dios esté con nosotros porque andamos en la luz y vivimos en un estado de contrición y arrepentimiento, conscientes siempre de la santidad de Dios. De esa forma, llegaremos a conocer y a amar a Dios como nuestro Padre misericordioso y a Jesús como nuestro Salvador, de una forma mucho más profunda. Y si amo a alguien también confío en él. Jesús prometió: «*...mi Padre amará al que me ama, y yo también lo amaré y me mostraré a él... El que me ama, hace caso de mi palabra... y mi Padre y yo vendremos a vivir con él...*» (Jn. 14:21, 23).

En otras palabras, Dios vendrá a nosotros, y su venida traerá la solución a todos nuestros problemas.

El hecho en sí es que el temor es un tipo de sufrimiento. No obstante, el gozo y la bendición divina están detrás de cada sufrimiento, y el temor no es la excepción. La paz que va más allá de todo entendimiento, la paz que brota como un río del mismo corazón de Dios hacia nosotros y nos llena de delicias, debe de ser muy nuestra cuando el temor nos ataque. Jesús es nuestra paz, y ya que Él se siente especialmente obligado a venir a nosotros en esos momentos de temor, nosotros probaremos esta paz como nunca antes. Es un anticipo de lo que será la Ciudad de Dios, la ciudad de la paz eterna, donde ningún temor ni aflicción nos acechará.

Él, que es la misma paz, quiere darnos esta maravillosa paz como un don. Podemos confiar en Él. Y cuando estemos frente a peligros o temores, ese es el mejor momento para reclamar este precioso don en fe.

4

enfermedad

Estás enfermo y tienes mucho dolor. También estás sufriendo emocionalmente porque tu enfermedad te ha apartado de tu vida familiar, de tus actividades y de lo que te daba satisfacción. Deseas trabajar pero no puedes. Estás totalmente impedido. Antes tenías la satisfacción de hacer algo significativo, tal vez ayudando a los demás y dándoles alegría, o incluso ejerciendo un ministerio. Ahora todo esto no es posible. Te has convertido en una carga para otros, dependes de su ayuda y necesitas ser servido. De repente, tu vida se ha convertido en dolor y sufrimiento. No puedes realizar las actividades de una persona sana.

Quizás muchas veces tuviste la esperanza de ser sanado. Alguien te puso en contacto con un buen doctor para un tratamiento o para una medicina especial. O quizás oraste mucho pidiendo sanidad, esperando que nuestro Señor Jesús fuera tu Sanador y que, según Santiago 5:14 y 15, serías sanado por la oración y la imposición de las manos, pero hasta ahora tus esperanzas no se han cumplido.

Aun así, ¿no hay un precioso tesoro escondido en las enfermedades para las cuales no se ve una cura aparente y que sólo se pueden sufrir pacientemente? Sí, verdaderamente no podría ser de otra forma, porque si nuestro sufrimiento es grande, así es también la bendición que contiene.

Esto lo podemos ver en la vida de la norteamericana Joni, quien debido a un accidente en el agua quedó parapléjica. Después de complicadas operaciones y largas estadías en el hospital, se vio postrada en una silla de ruedas para el resto de su vida cuando aún era una adolescente. Hoy depende completamente de los demás. Como resultado de todo esto llegó a tener una fe más profunda en Jesús. Al decir «sí» a la voluntad de Dios, venció triunfantemente este severo sufrimiento. La historia de su vida ha sido escrita y filmada, y su testimonio viaja por todo el mundo. *«Prefiero estar en esta silla conociendo a Jesús, que sobre mis propios pies sin conocerlo»*[2]. Cuando oyes hablar a Joni puedes sentir que ella es una mujer feliz, la ves radiante, y en medio del sufrimiento glorifica al Señor. Sí, ¡las pruebas de la enfermedad son pequeñas en comparación con el gozo que entra en nuestras vidas cuando Jesús significa todo para nosotros!

Lo importante es que Dios sea glorificado en nuestra vida. Esto puede suceder de varias formas. Por la oración y la imposición de las manos, Dios puede otorgarnos la sanidad en un instante, como he experimentado varias veces. Pero también, en otras ocasiones, el Señor no intervino y tuve que probar la copa amarga de la enfermedad. En tales casos, el Señor se glorifica, cuando soportamos nuestra enfermedad en completa sumisión a Él, como vemos en la historia de Joni. Esto redundará en mayor bendición para

2 - Tomado de la película *JONI*, producida por World Wide Pictures.

nosotros mismos y para otros, demostrando quién es Dios y lo que puede hacer. De esta forma, Él podrá atraer a muchos a sí mismo.

¿Qué fue lo que me confortó durante una seria enfermedad que me mantuvo prisionera en mi cuarto durante meses interminables y normalmente sola, ya que el doctor había ordenado reposo absoluto y pocas visitas? ¿Qué fue lo que me proporcionó una bendición inolvidable? Al frente de mi cama estaba colgada una cruz. Era como si Jesús, el Señor crucificado, me estuviera diciendo: «¿No te mandé que me siguieras en el camino hacia la cruz? Yo soy el Varón de Dolores afligido y cubierto de heridas. Ahora tienes la oportunidad de venir conmigo y abrir tu corazón a mis sufrimientos de una forma nueva y más profunda». Durante esta enfermedad, Jesús se acercó a mí más íntimamente como el Varón de Dolores. Mi amor por Él aumentó, y así también, mi gratitud por sus sufrimientos. El Señor me llevó a una unión con Él más profunda y amorosa. Desde aquel momento estuve más ligada a su voluntad y así unida a su corazón. Descubrí cuánta felicidad encierra esto. Sí, este largo período de enfermedad me enseñó a rendir mi voluntad de nuevo ante Él, semana a semana, y a practicar la paciencia cuando todavía no había señal de mejoría.

La enfermedad es un proceso de purificación. El Padre nos la envía diciendo: «Practica ahora la paciencia y más tarde serás capaz de perseverar pacientemente en toda clase de problemas y sufrimientos. Llegarás a ser fuerte dedicando constantemente tu voluntad a Dios, y así serás transformado a la imagen de Jesús, el siempre paciente Cordero de Dios, cuyo alimento era obedecer la voluntad de Dios».

¡Cuán agradecida me sentí más tarde por la oportunidad de practicar mi paciencia! Permaneceremos en paz en situaciones de aflicción en la medida en que hayamos aprendido a ser pacientes y a someter nuestra voluntad a Dios, con la seguridad de que su corazón y voluntad no son otra cosa que amor y bondad, y buenos los caminos por los que Él nos conduce. Entonces, superaremos las dificultades, sabiendo que la bendición y la gloria de Dios están escondidas en ellas. Porque Dios es amor, tiene planes para hacernos el bien y no el mal (ver Jr. 29:11). Todo, inclusive la enfermedad, contribuye para nuestro bien, y esto sucede cuando nuestra voluntad está rendida a Dios. Así, Él puede otorgarnos aquello que ha preparado para nosotros. Cuando no existe rebelión, es decir, ninguna resistencia por nuestra parte, nada impedirá que su bendición fluya sobre nosotros.

La enfermedad grave que nos pone cara a cara con la muerte tiene un gran significado y ricas bendiciones, como descubrí repetidas veces en nuestra hermandad. Para algunas de mis hijas espirituales fue el plan de Dios que su enfermedad las llevara a la muerte. A pesar de la oración e imposición de las manos, Dios no intervino, ya que su intención era llamarlas al hogar eterno. No obstante, usó el período de dura enfermedad para prepararlas para su partida de esta vida. Y con ellas, nosotras tuvimos el privilegio de experimentar algo de la inefable gloria celestial.

Semanas antes de su muerte, una hermana estaba tan radiante que todos los que entraban en su cuarto apenas podían creerlo. La presencia celestial era casi tangible. No solamente nosotras, sino también quienes la visitaban estaban asombrados de lo que Dios había hecho. El resplandor que había en otra hermana era tan grande que, después de su muerte, el empleado de la funeraria, que por su parte había visto incontables personas muertas, comentó con asombro: «¡Qué feliz parece la hermana!». El gozo de estar con Jesús en la gloria celestial brilló en su rostro 20 minutos antes de su muerte, y permaneció después de su partida.

Es cierto que estas hermanas se habían preparado toda su vida, en contrición y en fe, para reunirse con su Señor cuando llegara el momento. Pero fue su grave enfermedad, para unas, de meses o incluso años, y para otras sólo unas pocas semanas, la que les trajo la preparación espiritual final. Así, la gloria celestial brilló en su muerte, y lo más importante de todo: sabemos que ellas están allí donde los vencedores ven a Jesús cara a cara. Están con Él para siempre.

¡Qué bendición se encuentra escondida en la aflicción de la enfermedad! Cuántas personas han testificado que, siempre que se encontraban bien, fueron envueltas por su trabajo, por su familia y la actividad diaria, teniendo así muy poca comunión con el Padre Celestial y con nuestro Señor Jesucristo durante el día. O incluso, han estado muy lejos del Señor. Entonces, llegó un período de enfermedad, quizás un tiempo de sufrimiento severo, viéndose obligadas a guardar cama. Y de repente, hubo un encuentro con Dios. El paciente se confrontó con la santidad de Dios, especialmente en caso de morir. Hubo un despertar espiritual en su vida, una convicción de pecado, un reconocimiento de que se había distanciado de Dios y no había vivido como un discípulo de Jesús en pensamiento, palabra y acción. A este despertar le siguió la contrición y el arrepentimiento, que llevaron a una confesión de pecado, un cambio de corazón e incluso a una total renovación de su vida. Cuántas personas han podido decir: «Todo fue gracias al sufrimiento que Dios permitió que soportara. Esta enfermedad me ha traído incontables bendiciones».

Además experimentaremos, en alguna medida, la realidad de la Escritura: «*...el que ha sufrido en el cuerpo ha roto con el pecado*»(1 Pe. 4:1). Cuando estamos postrados en cama, no obstante, nos convencemos de nuestros pecados, más que en otro tiempo. A menudo, las partes del cuerpo que sufren son aquellas con las que hemos pecado. Ya no podemos hablar mucho, y... ¿para qué hemos usado nuestra lengua antes? Un día tendremos que dar cuenta de cada palabra inútil que hemos proferido (ver Mt. 12:36). Ya no podemos mantenernos sobre nuestros pies e ir a donde queremos, pero... ¿hacia dónde nos apresurábamos a ir cuando podíamos caminar? Muchas veces, a lugares donde Dios no quería que fuéramos. ¿Para qué hemos usado nuestras manos? En la mayoría de los casos, apenas para hacer algo para nosotros o nuestra familia, pero vez tras vez nos olvidábamos que debíamos hacerlo todo por amor a nuestro Señor Jesús y para su gloria.

Durante períodos de enfermedad, nos enfrentamos a las palabras de la Sagrada Escritura: «*Lo que se siembra, se cosecha*» (Gá. 6:7), y cosechará para toda la eternidad. De Dios nadie se burla. Si permitimos que el Espíritu Santo guíe nuestro trabajo y cualquier otra área de nuestra vida, cosecharemos gozo eterno en el cielo y recibiremos una gloriosa recompensa. Pero si seguimos los dictados de nuestra naturaleza humana, cediendo a los deseos de la carne y persistiendo en nuestros pecados (ver Gá.5:19-21), cosecharemos ruina. Por eso, qué hermosa bendición es pasar un período de enfermedad, ya que nos da otra oportunidad para arrepentirnos antes de que sea demasiado tarde.

Pero aun así, la enfermedad no sólo está pensada para obrar arrepentimiento en nuestro corazón. Aún hay más. Como ya fue mencionado, la aflicción de la enfermedad está para llevarnos más cerca a nuestro Señor Jesús. Esto también puede pasar cuando experimentamos el fastidio de los demás contra nosotros, porque nos hemos convertido en una carga para ellos. O algunos pueden olvidarnos, aunque antes éramos amigos o colegas. Eso duele. Nos damos cuenta de cuán rápido se desvanece el amor humano. Pero justamente en ese momento el Señor Jesús se coloca ante nosotros, rogándonos: «Vuélvete hacia mí completamente, búscame, y en mí encontrarás todo lo que tu corazón anhela». Jesús vino para que podamos tener vida en abundancia (ver Jn. 10:10). Las aflicciones de la enfermedad pueden enseñarnos a amar más a Jesús, y a experimentar más de su amor.

Los tesoros escondidos en la enfermedad parecen no agotarse. Cuando nos enfermamos y sufrimos físicamente, nuestra compasión crece y podemos entender mucho mejor a los demás que también están enfermos y que no se sienten bien. Además, ¡las personas enfermas han sido bendición y estímulo con su oración intercesora, consejo espiritual y testimonio! En la prueba de la soledad, se acercan más que nunca al corazón de Dios, y de esa forma tienen más para dar. Verdaderamente, muchos en su lecho de enfermo han llegado a ser un oasis espiritual para los que los rodean.

Sí, la enfermedad es una forma de sufrimiento, y a menudo una de las más duras, pero, por esta misma razón, la bendición también es muy grande, y preciosos tesoros reposan escondidos en ella. Qué apropiadas son las palabras de aquel himno alemán: «*Oh sufrimiento, ¿quién es digno de ti? Aquí pareces ser una carga; en el alto cielo, es un privilegio que no todos pueden tener*»[3]. Incluso en esta vida, una persona enferma, que acepta en amor la voluntad de Dios, puede tener un anticipo del cielo y la gloria eterna que le espera [4].

---

3 - K .F. Harttmann.

4 - Lea más acerca del tema en el libro *Las bendiciones de la enfermedad*, por Basilea Schlink.

5 cansancio

Dices algo así como: «Ya casi no puedo más. Se me han acabado las fuerzas. Estoy demasiado cansado para pensar o hacer algo. Apenas puedo arrastrarme a lo largo del día». Este agotamiento y fragilidad pueden ser las secuelas de una enfermedad o los resultados de una avanzada edad. Pero en la actualidad incluso la gente joven está cansada y con falta de fuerzas. ¿No es cierto que los factores ambientales negativos y las nocivas influencias de la sociedad moderna se están revelando en la generación que apenas crece? Comparada con la pasada, la juventud es, muy a menudo, más débil físicamente hablando.

Tal estado de agotamiento desgasta, y a veces, es más difícil de sobrellevar que la enfermedad, especialmente si se prolonga y, además, al contrario de lo que le pasa al enfermo, no tiene excusa para no cumplir sus obligaciones diarias ya sea en el hogar o en el trabajo. ¡Anhelas estar activo como los demás, en plena posesión de tus fuerzas! Quizás has orado mucho para que el Señor te quite esa debilidad física que te embarga, o puede que hayas intentado varias ayudas externas para recuperar las fuerzas, pero todo ha sido en vano, no has tenido éxito. tu cansancio no desaparece.

Estoy muy familiarizada con este tipo de estado y sé cuán penoso puede ser. Pero también he aprendido a triunfar sobre esta situación y a descubrir el precioso tesoro que Dios tiene escondido en este sufrimiento. Durante muchos años he sufrido de varias dolencias y de una salud delicada. A menudo no sabía dónde encontrar las fuerzas necesarias para atender las diferentes obligaciones, las que tenía que enfrentar en el liderazgo de nuestra organización en plena expansión. Considerando mi fragilidad, ¿cómo podría suponer que llevaría a cabo este gran ministerio mundial, el cual genera una cantidad de trabajo cada día? Apenas podía soportar un día más...

En esta situación, Jesús me ayudó dándome algo que después resultó ser un gran caudal de fuerza para mi fragilidad. Él atrajo mi atención hacia un versículo de la Sagrada Escritura de una forma maravillosa: «*Mi amor es todo lo que necesitas; pues mi poder se muestra mejor en los débiles*»(2 Co. 12:9).

Esta escritura, bien se puede decir, se convirtió en mi propia escritura, evocó en mi corazón una canción de triunfo: «*Si tu poder realmente se perfecciona en la debilidad, ¿por qué me voy a preocupar por ser débil? Así, tú podrás demostrar tu poder en mí y por medio de mí, y tu poder es infinitamente más grande que mi fuerza. ¡Qué preciosa promesa! Llena de agradecimiento le dije al Señor: ahora tú quieres hacer tu fuerza efectiva en mí. Y yo ya no tengo que confiar en mis pocas fuerzas y en mis limitados recursos*». Así que en fe me aferré a la promesa del Señor.

Siempre que llegaba un momento en que ya no podía seguir más, recibía nuevas fuerzas al pronunciar palabras como: «¡Jesús, tú eres mi fuerza!». «¡Hay poder en tu sangre!». Cada vez que lo hacía me infundía nuevas fuerzas... ¡Sus fuerzas!

Para aquellos que están sufriendo de fatiga y escasa salud, ¡qué consuelo es saber que Jesús quiere darnos el don de su fuerza!, lo cual es suficiente para nosotros, sí, y mucho más efectivo que si fuéramos fuertes por nosotros mismos. Por lo tanto, digamos: «Señor Jesús, confío y espero que hagas esto mismo en mi vida». Si declaramos en fe una y otra vez: «¡Jesús, tú eres mi fuerza!», seremos realmente saturados de un caudal de vida divina procedente de Él, del Señor resucitado. Ésta es una promesa que también podemos reclamar para el futuro. En los tiempos de aflicción que se aproximan, cuando estemos padeciendo debilidad física, podemos contar con el poder de Dios.

¡Qué maravillosa experiencia es la nuestra, como resultado de este sufrimiento en particular! ¿Quién no querrá aceptar el cansancio y la debilidad física, si la fuerza del Señor se va a demostrar tan maravillosamente en nosotros? Conoceremos a Jesús como nuestro poderoso Señor y aprenderemos a confiar más en Él y amarle más, entrando en una unión más profunda con Él. Siempre he experimentado esto en tiempos en que me sentía cansada. Era como si una melodía estuviera sonando gentilmente una y otra vez en mi corazón: «Señor Jesús mío, ahora tengo el privilegio de hacer un pequeño sacrificio para ti, haciendo mi trabajo en un momento que me cuesta hacerlo. Ahora me estás dando la oportunidad de comprobarte mi amor por ti y de estar cerca de ti». Así que una gran bendición escondida también descansa en este sufrimiento, una abundancia de profundo gozo interior. ¡Amor, nada más que amor, es lo que son en realidad nuestro Padre Celestial y nuestro Señor Jesús! Cuánto más grande sea nuestra cruz, más grande será la gloria que producirá. Incluso en esta vida experimentaremos un adelanto del cielo.

6 - - -soledad- - -

Estás solo, y la soledad carcome tu corazón. Es casi más de lo que puedes soportar. La muerte se ha llevado a la persona que amabas, que significaba todo para ti, y ahora te encuentras sólo. O quizás tu matrimonio se ha hecho pedazos y te has quedado solo, con el corazón sangrando. O eres soltero y vives solo, sin amigos que estén a tu alrededor. O ya eres demasiado viejo, parece que nadie te quisiera o necesitara.

Sea la causa que sea, tienes que sufrir la amargura de la soledad. Sé cómo te sientes, porque yo también he pasado por esas épocas de soledad.

Al principio de la década de 1950, mientras llevaba una vida llena de actividad y de significado, como la madre espiritual amada y necesitada por una enorme familia de hermanas, de repente, el Señor me llamó a una vida de soledad. Por amor a Él debía abandonar este feliz compañerismo y pasar meses de retiro durante muchos años, consagrándome enteramente al Señor en la oración y escribiendo lo que Él me encargaba que compartiera como testimonio espiritual. Por esta razón, tenía que estar sola en mi cuarto, separada de todos aquellos que amaba.

soledad

Acepté esta dirección del Señor, sin darme cuenta de lo dura que es la soledad. No había nadie con quien conversar y no podía disfrutar más de la alegre comunión con mis hijas espirituales, y no me era posible cantar, adorar, y celebrar fiestas del cielo u otras reuniones con ellas. Tampoco estaba presente cuando se tomaban decisiones importantes en relación con nuestra hermandad y nuestro ministerio. Estaba completamente sola entre cuatro paredes. Y cuando el Señor Jesús también parecía estar lejos de mí, la soledad carcomía mi corazón.

Como muchos de mis hermanos y hermanas en el Señor que están solos, aunque sea por otras razones, tenía que beber la copa de la soledad hasta la última gota. Conozco la forma en que la soledad puede oprimirte el corazón y hasta casi matarte. La soledad es como una bestia salvaje que te agarra y quiere devorarte. Sientes como golpeando los barrotes de hierro de tu «prisión», tratando de escapar de tu existencia solitaria.

Entonces sucedió un incidente que me ayudó a transformar este sufrimiento en ganancia para mí, haciendo nacer algo maravilloso. ¿Cómo fue que este camino de soledad se convirtió en un precioso don para mí? Un día fue como si el Señor me dijera: «Tú anhelas el amor de las personas y la comunión con ellas. Ámame aún más y así traerás consuelo y gozo a mi corazón, mostrándome amor serás la más feliz y tu vida será la más rica por ello». Comencé a cantar canciones de amor a nuestro Señor Jesús. ¡Qué solo está Él! Olvidado, rechazado, no amado por nosotros, los hijos de los hombres, por quienes Él entregó su vida sólo por amor. Intenté consolar su corazón cantando canciones como ésta:

El corazón de mi Jesús debe ser consolado
hoy en todo su dolor inexpresable.
Despierta, alma mía, comienza a cantar;
¿qué consuelo has traído para Él?

Yo le consolaré, con Él permaneceré,
estaré a su lado siempre en el sufrimiento;
no le dejaré ni una sola hora,
quizás esto pueda traerle consuelo.

Le consolaré, dándole gracias
por todas las bendiciones en mi vida
que Él me ha dado en su amor.
¡Oh, que esto alegre a mi Señor.

Yo le consolaré, y su corazón deleitaré
con canciones de amor en la noche más oscura.
Tal fidelidad tocará su corazón
y un dulce consuelo le dará.

Yo misma fui inmensamente consolada al hacer esto. Jesús se acercó a mí, y en la soledad viví una verdadera comunión con Él. Ni siquiera en los momentos de compañerismo humano más espirituales que tuve con otras personas experimenté un gozo tan profundo como éste.

Y eso no fue todo. En aquel tiempo yo no tenía ni idea de que esta comunión con Él, esta comunión que tuve el privilegio de experimentar, a costa de la pérdida del compañerismo humano, también iba a traer bendición para otras personas, pues el sacrificio produce vida, vida divina. Pude compartir con los demás algunas de las cosas que Jesús me reveló en los tiempos de retiro. Así que, el hecho de estar sola ya no fue más un sacrificio, sino un don que podía entregarle a Jesús como señal de mi amor. Ahora, la paz y el gozo llenaban mi corazón.

Todos hemos de experimentar esto de una forma u otra, porque el Señor, en su amor, ha planeado momentos de soledad para nosotros, y no para que nuestro corazón sea atormentado o amargado, sino para que le busquemos y nos acerquemos más a Él. Jesús está esperando que lo encontremos, para entregársenos y llenar nuestro corazón abundantemente de su paz y de su gozo en Él. Cada paso por el cual Dios, nuestro amante Padre, nos dirige, forma parte de un plan sabiamente concebido y nos lleva derecho a una maravillosa meta. Por cada cosa que abandonemos por causa de Él, recibiremos más a cambio y experimentaremos el amor de Jesús en mayor abundancia.

Sólo hay una cosa que debes hacer: dale tu amor a Jesús. Él anhela tu amor y te ama de una forma predilecta, y espera que lo ames a cambio. Ámalo y toda tu soledad se transformará en comunión con Él, y un día te dará un gozo eterno allá arriba. Como resultado de tu comunión con Jesús, encontrarás nuevas formas de mostrar amor a los demás —por ejemplo, orando por ellos—. Así ya no tendrás tiempo para pensar en lo solo que te encuentras sin el amor de los demás. Si amas a Jesús y a tu prójimo, tu vida será fructífera, y un día irás al hogar celestial con el Señor llevando una cosecha abundante.

7 conflictos internos

Estás sufriendo terribles conflictos internos, porque no puedes comprender las acciones y dirección de Dios. Tu alma clama angustiada: «¿Por qué Dios se mantiene tan silencioso? ¿Por qué Él no interviene en mi vida y me envía la ayuda? ¿Por qué está todo tan falto de significado? ¿Por qué, en los acontecimientos mundiales, actualmente el mal está aumentando su triunfo?».

Quizás dudes que tus pecados han sido realmente perdonados. Puede que tu incertidumbre sea de si has tomado la decisión correcta, si has tratado con una persona en la forma correcta, si te has comportado correctamente en una situación en particular. Todas estas dudas están continuamente en tu mente y los conflictos internos te tienen cautivo en un círculo vicioso, haciendo que sufras inmensurablemente en tu alma y en tu espíritu.

Dios, que es tu Padre amoroso, no quiere que te atormentes con estas dudas. Él quiere ayudarte a encontrar la salida de este círculo vicioso, para que puedas vencer tu conflicto interior, y así un día recibir la corona de vida que ha prometido a todos aquellos que hayan pasado la prueba (ver Stg. 1:12).

45

Esto es realmente un hecho, como he podido ver durante mi experiencia como consejera: si cedes a los conflictos internos, si continúas afligiéndote por causa de problemas no resueltos, jamás llegarás a una solución. Por el contrario, te encontrarás cada vez más enredado y tus pensamientos atormentadores te llevarán al borde de la desesperación.

Pero el Señor nos muestra el paso decisivo que tenemos que dar para salir de este sufrimiento: detener todo este proceso de pensamientos agonizantes y renunciar a ellos en el nombre de Jesús y, cada vez que vuelvan, rechazarlos categóricamente. Sí, necesitamos reprenderlos en el nombre de Jesús: «¡Rehuso tener algo que ver con estos pensamientos que el enemigo ha puesto en mi mente! ¡Fuera de aquí! Dios me ayudará. Él me mostrará el camino correcto». Cada vez tenemos que estar resueltos a salir del círculo vicioso de nuestros pensamientos y centrarlos en alguien diferente: en Jesucristo.

El siguiente paso, también para ti, es entregarle a Jesús todos tus conflictos internos. Cuéntaselos a Él y ora. Jesús está esperando que te vuelvas a Él, porque así está escrito: *«Resistan al diablo, y éste huirá de ustedes. Acérquense a Dios, y él se acercará a ustedes»* (Stg. 4:7, 8). Al mismo tiempo, clamamos la ayuda de Jesús. Habiendo sido tentado como nosotros, pero sin llegar a pecar, Él puede ayudarnos cuando viene la tentación (ver He. 2:18; 4:15). Como nuestro Sumo Sacerdote, Él tiene compasión de nosotros y quiere ayudarnos. Pero también tenemos que creer que Él tiene la respuesta y la solución. Vendrán, sin duda, porque Dios es el único sabio y omnipotente, y ya tiene una solución preparada para cada problema que no sabes cómo resolver.

Y como Dios te ama, no te dejará en suspenso en lo referente a si has tomado la decisión correcta en una situación en particular, o en cómo deberías decidir y actuar en otro caso... Él es la Luz y la Verdad, y por tanto te guiará a la verdad. Yo he experimentado esto una y otra vez en mi vida, cuando tuve que enfrentarme con muchas decisiones importantes y estaba insegura de lo que debía hacer porque había recibido consejos contradictorios.

Si estás atormentado y dudas acerca de si has tomado la decisión correcta, si estás en el camino correcto, o has tratado a alguien en la forma correcta, afírmate en la Escritura: «*Me lleva por caminos rectos, haciendo honor a su nombre*»(Sal. 23:3), lo que también se puede aplicar a épocas de conflicto interior. Cada vez que un conflicto interior me amenazaba, me aferraba a este versículo, y mis agonizantes pensamientos me abandonaban cuando le decía al Señor: «Si un niño le pide a su padre que le muestre el camino por donde tiene que ir, el padre nunca le dejará tomar el camino equivocado sin avisarle inmediatamente para que se vuelva». Cuánto más hará lo mismo nuestro Padre Celestial. Puedes confiar en esto. Si de antemano entregaste completamente tu voluntad al Señor, y le pediste que te mostrara el camino por donde tienes que ir, y la decisión correcta que tienes que tomar, puedes estar seguro que Él te guió en tus decisiones. Si el enemigo continúa intentando enredar tus pensamientos en sus redes, dile: «Mi Padre, que me ama, no permitirá que tome el camino equivocado, así que mi decisión fue la correcta, y, si hubiese estado errado Él me lo hubiera mostrado claramente».

No obstante, puede que tengas incertidumbre porque no le pediste a Dios específicamente que te guiara antes de tomar una decisión. Incluso, tal vez actuaste por tu propia voluntad, y ahora la situación corroe tu mente. Entonces, el siguiente paso que debes dar es llevar tu pecado ante Jesús con un corazón contrito. Si estás verdaderamente avergonzado y listo para arrepentirte y para enmendar la situación, cuando sea posible, el Señor Jesús te dirá: «¡Este pecado te ha sido perdonado!». Él puede ver tu corazón contrito y humillado y puedes confiar que Él cubrirá con su preciosa sangre todas las consecuencias de tu decisión pecaminosa y egoísta. Tu conflicto interior cederá y Él te otorgará la paz.

Ahora bien, hay un tipo especial de conflicto interior que se manifiesta cuando tenemos que seguir un camino difícil, y que nos parece sin sentido. Pues tienes que darte cuenta otra vez de que solo no puedes resolver tampoco este problema. La ayuda puede venir solamente del Señor, cuyos pensamientos son infinitamente más elevados que los nuestros (ver Is. 55:9), y quien es totalmente diferente a nosotros, y quien, en su sabiduría, omnipotencia y amor inmensurable, puede y desea dar la solución. Las huellas de Dios están escondidas, como si estuvieran bajo profundas aguas. No puedes verlas ni saber dónde van, pero una cosa es cierta: el Señor te está guiando a una meta maravillosa.

Así que no trates de sondear la dirección de Dios y preguntar por qué te está llevando por un camino que a ti te parece sin sentido; un camino que te lleva por sendas de tinieblas y confusión; un camino cuya salida está escondida para ti. En vez de esto, confía en Él. Recuerda que Él es el

Dios omnisciente, amoroso sobre todas las cosas y eterno. Ten presente que es tu Padre, en cuyo corazón no hay otra cosa sino amor y cuya voluntad es la bondad en esencia. Aunque te sientas como si estuvieras perdido en un laberinto, Él te está guiando de acuerdo con un plan sabio y eterno, hacia una maravillosa meta. Dios, quien sólo es amor y verdad, nunca guiaría a un hijo suyo por un laberinto, así que no puede hacerlo contigo. Puede que así te parezca, pero no es verdad. Pon tu confianza en Él, espera por algún tiempo y verás que este camino aparentemente sin sentido, tiene un profundo significado. Dios está preparando una salida que te llenará de asombro y que te maravillará, porque con Él el sufrimiento nunca es lo último.

En vez de confundirte en medio de dudas y tentaciones y de permitir que estas dudas te atormenten, sube al barco del amor de Dios, donde Jesús está al timón. Así alcanzarás la gloriosa meta que Dios ha preparado para ti. Más tarde verás que todo lo que había salido de las manos del Padre estaba completamente lleno de sabiduría eterna y concebido en su amoroso corazón. Él te estuvo guiando por ese camino en particular todo el tiempo para lograr algo maravilloso en tu vida.

Por lo tanto, no intentes comprender a Dios con tu limitado entendimiento. De cualquier forma, no lo conseguirás aunque te esfuerces, porque solamente eres un ser mortal, una simple criatura, limitada en su conocimiento y en su razonamiento. Pero el Dios omnipotente y omnisciente es el Eterno, quien creó los cielos y la tierra. En vez de dudar de su amor y de su sabiduría, pregúntate en qué medida tu voluntad propia o tu rebeldía están detrás de tus dudas y de tus conflictos internos. En realidad, puede que te estés rebelando contra la guía de Dios, y no estés dispuesto a cargar la cruz que Él ha puesto sobre ti. Evades el asunto convenciéndote de que tienes conflictos internos y no conoces cuál es la voluntad de Dios para tu vida. O aún más, estás en rebelión porque no sabes por qué Dios te está dirigiendo por un camino así. Y durante todo el tiempo Dios está esperando que rindas tu voluntad completamente ante Él, que confíes en Él y que perseveres hasta que Él te envíe ayuda o que lo ponga completamente claro ante ti. Así que, una vez más, no intentes comprender a Dios. Confía en Él y en su amor, y obedientemente da el siguiente paso hacia adelante, y así verás que tus conflictos internos tendrán que retirarse, y estarás más cerca de Dios que nunca antes. Por lo tanto, di vez tras vez:

Padre mío, no te entiendo
pero confío en ti.

8 problemas de personalidad

Cuántos sufren por causa de problemas de su personalidad, que muy a menudo son creados por debilidades y pecados heredados. Algunas personas son conscientes de que estas debilidades están en su carácter y por eso se afligen. Otros sufren a causa de las consecuencias que estas debilidades traen a su vida. Por causa de su disposición y de su difícil naturaleza pierden el privilegio de ser amados por aquellos que les rodean. Qué problema, por ejemplo, cuando una persona no puede conseguir mantener la calma, y estalla en cólera o se siente atacado, cuando sus planes se frustran. Parece como si una fuerza incontrolable operara en ella, o como si un fuego abrasador emanara de sus palabras, o de su propio ser. Y, como resultado de su explosión, otras personas se sienten profundamente heridas, se apartan de ella y le guardan sentimientos de amargura.

O hay alguien que es tan susceptible que siempre malinterpreta comentarios sobre hechos, pensando que los demás se refieren a él, aun cuando no sea así. Es susceptible porque en su orgullo no puede soportar que otros puedan encontrar una simple falta en él.

51

Otros se vuelven hoscos y se desaniman fácilmente aislándose en casa o en cualquier otro lugar. Sí, incluso entran en un período de depresión, y todo porque están resentidos de no recibir el amor, el honor y el reconocimiento que desean en lo más profundo de su ser, de aquellos que están a su alrededor. Quizás ni siquiera están prevenidos de estos motivos. Todo lo que saben es que no pueden sacudir de encima su depresión. Parecen estar atados.

Aún hay personas que anhelan vivir en armonía con Dios y con su prójimo, pero no lo consiguen. Dominados por su propia voluntad y por un espíritu de rebelión, se contagian inmediatamente de pensamientos rebeldes cada vez que Dios permite que se presente cualquier tipo de problemas o dificultades. También, cuando otros miembros de la familia, o compañeros de trabajo, o de cualquier otra índole los aconsejan, los corrigen, o simplemente no actúan como ellos quieren que lo hagan, es suficiente para encender inmediatamente la chispa de la rebelión, la cual se hace notar por medio de palabras desagradables.

Si somos acosados por estos problemas de personalidad, los demás solamente harán un comentario acerca de nosotros: «Es una persona difícil». El sufrimiento es mutuo, tanto para la persona en mención como para aquellos que están a su alrededor. Éste es un sufrimiento que muchas personas tienen que soportar, ya que todos tenemos una herencia pecaminosa, aunque en unos sea más perceptible que en otros; ya sea duro de corazón, presuntuoso, deseoso de complacer a los demás, dominado por el temor de ofender a los demás o cobarde, codicioso, resentido, amargado, criticador, envidioso, celoso... Estos son unos pocos ejemplos por nombrar.

¿No es ésta una forma muy real de sufrir? Aunque no queramos admitirlo, todos sufrimos debido a nuestra naturaleza pecaminosa, pues el pecado es siempre una fuerza destructiva. Destruye la paz con los demás, destroza nuestra comunión con ellos, arruina el gozo y la paz que pueda haber en nuestro corazón y estropea el gozo de los demás. Así que, una persona dominante y rebelde puede arruinar cualquier reunión, debido a su deseo e impulso de dominar y de hacer lo que le viene en gana.

Aquel que tiene ojos para ver, se da cuenta de cuán destructiva es la fuerza del pecado y cuánto sufrimiento puede causar. Esto es especialmente evidente con relación a nuestra principal característica pecaminosa, la cual está profundamente arraigada en nuestra naturaleza. Qué fácil es sentirnos envidiosos y tener pena de nosotros mismos cuando miramos a los demás: «¡Su carácter no está afectado por esta atadura pecaminosa!» Frecuentemente lo hacemos más difícil por permitir que el desánimo, la resignación e incluso la desesperación se apoderen de nosotros. «¿Cómo seré victorioso? ¿Cómo puedo llegar a ser un miembro útil del Cuerpo de Cristo y ser un testigo de Jesús, que es lo que se supone que tenemos que ser? ¿Cómo podré resistir cuando la persecución venga sobre los cristianos? Y, sobre todo, ¿cómo podré entrar en la gloria celestial, en la Ciudad de Dios, donde, de acuerdo con la Sagrada Escritura, solamente aquellos que hayan vencido tienen el derecho de habitar?» (ver Ap. 3:12).

Deducimos que estamos atados a nuestro pecado fundamental con cadenas de hierro.

No obstante, es una verdad y una realidad que un gran tesoro yace escondido en nuestra pecaminosa disposición o nuestra difícil naturaleza. Todo lo que tenemos que hacer es desenterrarlo. Pero puede que nos preguntemos: «¿Un tesoro? ¿Cómo puede ser?» Solamente los enfermos, los pecadores, se apresuran al médico de las almas (ver Lc. 5:31, 32). Solamente ellos pueden encontrar el camino a Él y llegan a conocer a Jesús como su Salvador. Solamente ellos pueden experimentar su ayuda y su salvación. Sólo aquellos que no son redimidos necesitan de un Redentor, y las personas difíciles son ejemplo típico de quienes necesitan redención. La promesa de Jesús es válida para ellos. Jesús vino a liberarnos de nuestras ataduras pecaminosas y hacernos verdaderamente libres (ver Jn. 8:36) Y por eso... ¿quién experimentará mejor el poder salvador de Jesús, y de esa forma quién le glorificará más? Aquellos que sufran más a causa de sus ataduras al pecado, porque en ellos Jesús puede demostrar lo grande que es su poder salvador. Solamente su preciosa sangre puede transformar sus personalidades.

Esto se aplica especialmente a nuestra difícil naturaleza innata, la cual, a menudo, se pasa de una generación a otra. En la Palabra de Dios hay una maravillosa promesa: *«Pues Dios los ha salvado a ustedes de la vida sin sentido que heredaron de sus antepasados; y ustedes saben muy bien que el costo de esta salvación no se pagó con cosas corruptibles, como el oro o la plata, sino con la sangre preciosa de Cristo, que fue ofrecido en sacrificio como un cordero sin defecto ni mancha»* (1ª Pe. 1:18,19). Si Satanás continúa su intento de atraparnos en la atadura del pecado, nosotros podemos oponernos a él diciendo: «¡Estoy *redimido*! ¡El rescate ya ha sido pagado!».

Aún hay otro tesoro escondido en el sufrimiento de tener problemas de personalidad. Al sentir agudamente los grilletes pecaminosos en nuestra disposición, somos obligados a entrar en la batalla de la fe. *«Pelea la buena batalla de la fe»*, es la llamada del apóstol Pablo en la Primera Carta a Timoteo 6:12. Solamente aquel que pelee la buena batalla será coronado (ver 2 Ti. 2:5). La batalla de fe contiene las semillas de la victoria, incluso se puede decir que el simple hecho de batallar nos hace victoriosos ante los ojos de Dios; tal es su estima y aprecio por la batalla de fe. ¡Qué maravilloso! Pero... ¿a quién se le desafía a tomar parte en la batalla? Solamente a aquel que lo necesita por causa de su naturaleza difícil. Aquellos que son armoniosos y que encajan con facilidad con otros y no causan problemas, a menudo, no ven sus propios pecados, los cuales son menos evidentes y, por tanto, no luchan contra ellos. Pero la persona difícil, que sufre por causa de sus problemas de personalidad, agarra las armas de la fe y comienza a luchar contra el pecado y los demonios, en el nombre de Jesús y en el poder de su preciosa sangre.

Cada batalla de fe cuenta ante los ojos de Dios, incluso aunque no se vea en el mismo momento la victoria o aunque ésta sea muy pequeña. Cada oración de fe se tiene en cuenta, porque la corona es concedida a aquel que se mantiene en la fe. Aquel que batalla en el poder de Jesús y en unión con Él no puede perder al final, incluso aunque sea derrotado en muchas batallas por causa de que su vieja naturaleza continúa asediándole y los demonios que hay tras ella se niegan a rendirse. La victoria final ya ha sido ganada. Esto es tan seguro como el clamor de Jesús en la cruz: «*¡Todo está cumplido!*» Estamos peleando bajo la bandera de Jesús el Victorioso.

¡Qué oportunidades y posibilidades se le dan a una persona de carácter difícil! Todo lo que necesita hacer es mantenerse en la batalla de la fe. Esto quiere decir perseverar en la fe y no rendirse. El apóstol Pablo dijo al final de su vida que había conservado la fe, y le fue preparada la corona de justicia (ver 2ª Ti. 4:7,8). El conservar la fe también se aplica a nuestra lucha personal contra el poder del pecado y las debilidades de nuestro carácter. Por lo tanto, los problemas de personalidad nos invitan a orar y a luchar en la fe. Esto nos mantiene espiritualmente vivos, haciendo que busquemos constantemente a Jesús, ocasionando un encuentro personal con Él. Además, le da honra, ya que nuestra honra se humilla hasta el suelo cada vez que nos enfrentamos con nuestra impotencia. Constántemente se nos desafía a poner nuestra fe sobre su acto de redención, aunque aún no podamos ver la victoria. Tenemos que esperar a recibir todo de Él. Así esta necesidad nos unirá más a Jesús, nuestro Salvador y Redentor. Sí, nos acercaremos mucho más a Él, nuestros corazones estarán mucho más agradecidos con Él, porque con nuestra difícil disposición estaríamos perdidos para siempre si no le tuviéramos a Él. Y al mismo tiempo que experimentemos su perdón, una y otra vez, nuestro amor por Él crecerá.

Sí, el hecho de tener una disposición difícil nos hace pelear la batalla de la fe con todas nuestras fuerzas, porque sabemos que solamente si somos fieles en esta batalla alcanzaremos la meta de la gloria. Por lo tanto, perseveremos en la fe y no nos rindamos. Esto quiere decir tener que vencernos a nosotros mismos, porque pelear la batalla es algo doloroso si no tenemos el temple necesario y si nuestra lucha parece inútil. Debido a que esta batalla de fe contiene sufrimiento, se produce algo maravilloso: una abundancia de fruto y bendición, no sólo para nosotros sino también para los demás. El sufrimiento es una fuerza activa y creativa, siempre produce frutos y bendiciones constántemente, siempre y cuando lo aceptemos como algo que proviene de Dios y respondamos diciendo con un corazón confiado: «¡Sí, Padre!».

¡Así que no te quejes de tu difícil disposición, sino ten fe! Toma la bandera de la fe, como dice el Salmo 20:5: *«Celebraremos así tu victoria, y levantaremos banderas en el nombre del Dios nuestro»*. ¡Ay! Si solamente creyéramos que Jesús mira con gran amor y gozo a quienes batallan con constancia y entrega, contra su disposición difícil y contra sus ataduras pecaminosas día a día sin cansarse. A ellos Él puede manifestarse como el Salvador de pecadores, a ellos Él puede revelar algo de su victoriosa gloria como el Señor resucitado. Y así ellos son un consuelo para Jesús en nuestros días cuando muchas personas, incluso creyentes, que, a pesar de su acto de redención, siguen sus deseos pecaminosos. Pero aquellos que perseveran en la batalla de la fe, Él los hará victoriosos en su momento oportuno. Durante nuestras vidas, el Señor Jesús trabaja moldeándonos a su imagen. Él cumplirá su objetivo si no flaqueamos en la fe, que nos sometemos cada vez de nuevo a su trato con nosotros y al proceso refinador y purificador de las correcciones.

Dios nunca se cansa. Su amor es inagotable. Aunque perdamos muchas batallas en el proceso, si luchamos hasta el final, un día entraremos en la Ciudad de Dios, donde el Señor nos recibirá y nos tomará en sus brazos. Si aquí en la tierra no nos cansamos de clamar el nombre de Jesús y reclamar su victoria y su preciosa sangre, allá arriba en el cielo nosotros mismos experimentaremos las palabras: «¡La victoria es mía, porque la victoria pertenece a mi Señor Jesucristo!»

9 | oraciones no respondidas

Tu alma está angustiada. Debes haber orado ya cien o mil veces a Dios en la fe, pidiendo por ti mismo, por otras personas, por la solución de un problema en particular... pero a pesar de tus fervientes ruegos la respuesta de Dios aún no ha llegado. ¿Por qué no responde Dios? Lo primero que tenemos que hacer es preguntarnos si hay algo que nos separa de Dios, es decir, algo que impida que nuestra oración sea contestada, y que tenemos que arrancar de raíz[5] . Por ejemplo, en un área particular de nuestra vida podemos estar fuera de la voluntad de Dios o de sus mandamientos. O puede que haya algún pecado que aún no esté perdonado y que no hayamos traído a la luz para que sea limpiado. O quizás estemos viviendo una vida de irreconciliación, amargura, resentimiento y envidia sin que nos hayamos arrepentido de ella. Las Sagradas Escrituras hablan claramente de estos impedimentos y requisitos que hacen falta para obtener respuestas a la oración. Si hay obstáculos que impiden que Dios oiga nuestras oraciones y

5 - Lea más sobre el tema: *El secreto de la oración diaria*, de Basilea Schlink

tenemos que esperar su respuesta, es para llevarnos a un arrepentimiento saludable y a un cambio de corazón.

Sin embargo, aunque no exista ningún impedimento en la oración, con frecuencia, Dios no responde a nuestras oraciones inmediatamente. ¿Cuáles podrían ser los planes de Dios sabiendo que Él sólo tiene intenciones amorosas con respecto a nosotros? Yo he experimentado muchísimas respuestas a la oración a lo largo de mi vida, pero una y otra vez he tenido también la penosa experiencia de no recibir respuesta durante largos períodos, a pesar de mis fervientes peticiones. La respuesta no vino hasta después de 10, 20 o hasta treinta años, especialmente cuando mi petición era por cosas grandes y decisivas en mi vida, nuestro ministerio o para personas por las cuales yo tenía una carga especial. Mirando hacia atrás, he podido reconocer que Dios espera tanto para que después el milagro de recibir una respuesta a nuestra oración sea mucho más grande, y consecuentemente nuestro gozo, adoración y acción de gracias por lo que Él ha hecho lo sea también. Cuando viene el cumplimiento, normalmente siempre excede nuestras peticiones, porque cuanto más tiempo y más nos cueste la espera, más abundantemente responderá Dios nuestras oraciones, y al final no podremos hacer otra cosa que asombrarnos y adorarle. Es como si Él deseara abrir las compuertas de sus bendiciones y de su misericordia.

La espera por la respuesta a nuestras peticiones tiene también un tesoro escondido. Dios retrasa su respuesta porque su plan es otorgarnos mucho más del cumplimiento de nuestra petición en particular. La gratificación que quiere darnos sólo puede ser otorgada después de un período de espera prolongado. La espera es amarga y no estamos exentos de esta penosa experiencia, pero el resultado es dulce y de un valor duradero y eterno.

Así descubrí que grandes cosas son producidas en estos tiempos de espera. Cuando Dios no oía mis oraciones, ni parecía responder mis peticiones, yo tenía que reanimar una y otra vez mi fe: «Un día responderás a mis peticiones. Confío en ti, Señor mío y Dios mío. Ninguna oración es en vano, pues tú escuchas cada una de ellas. Lo prometiste en tu Palabra, y por eso su cumplimiento al final vendrá». Cuando tenemos que hacer tantos actos de fe, sucede algo maravilloso: nuestra corona de fe se forja en el proceso. ¡Qué precioso es el plan de Dios! ¡Qué precioso don! Durante los períodos de espera, cosas importantes maduran, aunque no estén a la vista. Pelear una y otra vez con una fe perseverante, cuando nada parece suceder, es una experiencia dolorosa. Pero este sufrimiento contiene una gran bendición. El hecho de perseverar siempre, fortalece nuestra fe. Y cuando, después, nos tengamos que enfrentar a nuevas pruebas y tentaciones nos será mucho más fácil poner nuestra confianza en Dios y «mover montañas» por la fe.

El hecho de esperar la hora de la respuesta tiene aun otro regalo aguardándonos: nos hace más humildes. En nuestra presunción, muy a menudo, pensamos que Dios tiene que responder a nuestras peticiones inmediatamente, aunque nosotros le hagamos esperar constantemente cuando Él nos pide que hagamos algo. Pero incluso en las relaciones humanas esto es un hecho real: las personas con poder y prestigio pueden entrar en la oficina del director y recibir el cumplimiento de sus peticiones inmediatamente, mientras aquellos que son menos importantes tienen que esperar. Por el hecho de tener que esperar la respuesta del Dios todopoderoso a nuestras oraciones podemos ver el lugar que ocupamos. Nos hace pequeños y humildes, y más parecidos a Jesús, el Hijo del Altísimo, quien dijo de sí mismo: «...*soy paciente y de corazón humilde*...»(Mt. 11:29). Qué maravillosos son los tratos de Dios y qué sabias son sus guías, cuando no responde inmediatamente a nuestras peticiones, sino que nos hace pasar por períodos de larga espera. De esta forma seremos revestidos de humildad que adorna al verdadero Hijo de Dios, la humildad de someternos a Dios y a su gobierno soberano e incomprensible, cuando nuestras oraciones parezcan no ser atendidas. Dios, en su amor, tiene un plan para dirigirnos por sendas donde tendremos que esperar una y otra vez. Durante este proceso, están siendo forjadas en nosotros la fe, la paciencia y la humildad.

Al final veremos que el Señor escucha nuestras oraciones y responde a nuestras peticiones siempre que no sean concebidas con obstinación o desobediencia, sino en armonía con la voluntad de Jesús. Después de un largo período de espera recibiremos con corazones humildes lo que pedimos hace tiempo. Llenos de gratitud a Dios, nuestro Padre, nunca olvidaremos lo que Él ha hecho por nosotros. Nuestra adoración será de lo más ferviente, ya que procederá de un corazón humilde y trataremos con reverencia y con cuidado especial aquello que hemos recibido de Él. Nos acercaremos al Señor y conoceremos que su corazón lleno de amor jamás nos defraudará, sino que nos educará con un amor sabio y paternal.

Depende de nosotros el aprovechar o no estos períodos de espera, permitiéndole al Señor llevar a cabo su gran obra de transformarnos a su imagen, de tal forma que un día podamos estar con Él y contemplarle cara a cara por toda la eternidad, un gozo que sólo le es concedido a aquellos que han llegado a ser como Cristo.

No obstante, incluso después de un prolongado período de espera, el Señor no siempre nos otorga una respuesta directa a nuestras peticiones. A veces no sólo nos hace esperar, porque es para nuestro bien, sino que contesta nuestras oraciones de una forma completamente diferente a la que habíamos deseado o imaginado. Por ejemplo, podemos orar para que Dios cambie la actitud de aquellos que nos hacen la vida difícil o que incluso nos odian. Sin embargo, nuestra petición no se ve concedida. ¿Por qué no? Aquí otra vez, Jesús en su sabiduría quiere transformarnos a su imagen, la imagen del Cordero, para que amemos a nuestros adversarios y los bendigamos. Con esta actitud de amor misericordioso por nuestros enemigos, podemos ser de bendición para todos aquellos que se oponen a Jesús, e incluso, lograríamos ganarlos para Cristo. Y así, después de todo, el Señor escuchó nuestra oración, pero no en la forma en que pensábamos que lo haría.

Una cosa es cierta: Dios siempre responde a nuestras oraciones, aunque a veces de una forma que en el comienzo no entendamos, porque sus pensamientos, planes y propósitos son mucho más grandes que los nuestros... ¡Y mucho más maravillosos! Él nos ama más allá de lo que el hombre pueda concebir, y quiere bendecirnos mucho más de lo que podríamos imaginar o esperar. En más de sesenta años de seguir al Señor, ésta ha sido siempre mi experiencia, cada vez que mis oraciones parecían no ser contestadas. En consecuencia, confiemos implícitamente en el amor de Dios, pues las palabras de las Escrituras contienen la verdad: *«Pidan, y recibirán»*.

10 | Torpeza

Te falta talento. No te sientes con aptitudes para realizar ciertos trabajos y determinadas tareas que otras personas hacen con facilidad. Quizás estés obstaculizado por algún defecto físico, te faltan fuerzas, tienes una salud delicada o eres de edad avanzada. No ganas fácilmente el afecto y la estima de los demás, porque no tienes una apariencia atractiva o facilidad para hacer amigos. Sufres mucho porque te sientes en desventaja y crees que Dios te ha dejado a un lado. La persona habilidosa emprende cualquier tarea con éxito y con eficiencia, es hábil para comprender rápidamente cualquier situación, tiene discernimiento y buena memoria; siempre tiene algo que decir porque sabe mucho, y el saber es poder. Pero tú te sientes más o menos relegado. Aquel que tiene una personalidad encantadora, enseguida se hace popular entre los demás y muy pronto consigue amistades, mientras que a ti se te hace a un lado y nadie te demuestra interés.

Si te encuentras en una situación como ésta, puede que te preguntes: «¿Qué me ayudará a soportar este sufrimiento? ¿Qué puedo hacer para que esto no me desanime ni me haga infeliz?» . Hay algo que puede ayudarte. A mí me ayudó cuando tuve que sufrir por causa de mi inhabilidad en un área en particular de mi vida: comunicarme en inglés. Durante muchos viajes que hice al extranjero, realmente necesitaba entender y hablar inglés para llevar a cabo bien mi ministerio, pero no era capaz porque no tenía talento para los idiomas, y además antes había estudiado francés y los idiomas clásicos en el colegio. Cuando, más tarde, el Señor no me dio el tiempo ni la oportunidad para vencer esta deficiencia, escribí la siguiente oración:

> *¡Oh Padre! Estoy dispuesta a ser pobre,*
> *sin talento e incapaz.*
> *Y con este "Sí" quiero honrarte.*
> *Entonces, tú realizarás lo que yo no puedo hacer,*
> *y a pesar de todas las cosas, tú y sólo tú*
> *abrirás el camino para tu mensaje.*

Este acto de entrega transformó aquello que me parecía tan difícil de soportar. Descubrí que cuando rendimos nuestros deseos y voluntad sin reservas a Dios, nos unimos con Él y esta unidad llena de paz nuestro corazón.

De verdad, yo estaba en una situación de desventaja por mi deficiencia. El precio del sufrimiento tenía que ser pagado. Debido a lo pobre de las traducciones de mis charlas, me era imposible transmitir con propiedad el mensaje que me había sido confiado, aunque había emprendido estos largos viajes solamente con este propósito. Por causa de no saber el idioma lo suficientemente bien, siempre me quedaba a un lado durante conversaciones y entrevistas importantes, y no podía alcanzar el corazón de los demás como me hubiera gustado hacerlo. Pero en todas estas circunstancias, el Señor me otorgó un profundo gozo interior. Yo le agradecía por hacerme pequeña e incapaz, porque sabía que Él ama lo pequeño y desamparado, y que Él llevaría a cabo mi ministerio de alguna otra forma. Siempre pude experimentar las maravillas que Él podía hacer. Años más tarde, por ejemplo, el Señor nos dio un ministerio de películas y videos para así extender su Palabra, y con su ayuda finalmente pude dar mensajes en inglés que eran televisados a millones de personas en el mundo de habla inglesa.

Y por eso, me gustaría animarte a decir: «¡Sí, Padre!», en relación con tu falta de aptitud, incapacidad, o deficiencia. Ésta viene de Dios, tu Padre, quien tiene escondida por dentro una gran bendición, tan grande que aquellos que están dotados con dones y aptitudes podrían envidiarte. Por causa de tu incapacidad, te acercarás a tu Señor Jesús, el humillado Hijo de Dios, quizás más que cualquier otra persona. Pobre, pero rico, porque estás entregado a su voluntad, tienes la aprobación del Padre que descansa sobre ti.

Dios tiene aún otro regalo guardado para aquellos que son pobres, inhábiles y sin talento. El hecho de no tener tantos dones te hace humilde. Aquellos que son altamente dotados están en peligro de hacerse orgullosos y demasiado confiados, y con dolor, experimentarán cómo Dios resiste al orgulloso. Pero... ¿a quién le da gracia Dios? Al humilde. Si Dios te ha negado algún talento y tú a cambio le das un «Sí» de todo corazón, humildemente aceptándolo como que viene de su mano paternal, estás bajo su gracia. Y si cada vez que te sientes incapaz, te acercas al Padre como lo haría un hijo que pide ayuda, realmente serás ricamente bendecido; mientras que, por el contrario, la persona dotada de habilidades que no usa sus dones bajo la dirección de Dios, en realidad, es pobre.

Así que recuerda, el hecho de tener una reputación de persona competente, de poseer varias habilidades y ventajas, y poder hacer bien ciertas cosas, no es lo más decisivo en la vida. Lo que importa no es cómo me ven los demás, sino *cómo me ve Dios*. Esto es de una importancia primordial y eterna, y será visible para todos en la vida que está por venir. Por el contrario, la buena opinión que los demás puedan tener de mí, solamente vale durante el corto espacio de tiempo de mi vida terrenal y tiene valor solamente para el hombre mortal, que a los ojos de Dios es como si no fuera nada. Considera lo que dice la Biblia: aquellos que no valen ante los ojos del mundo -los pobres, los torpes, los insignificantes- son muy apreciados para Dios (ver 1 Co. 1:27-29). «*El hombre se fija en las apariencias, pero yo me fijo en el corazón*»(1 S. 16:7), dice el Señor.

Así que comienza ahora a regocijarte y alegrarte: «Soy de mucho valor para Dios. Él me da su amor especial, porque cada hijo suyo que carece de dones y de habilidades tiene un lugar especial en su corazón. ¡Se puede glorificar mucho más en la vida de una persona sin talento como yo, que en la vida de alguien inteligente y talentoso!». Si te regocijas así de tu incapacidad y das gracias de que en tu pobreza eres rico en Dios, tu complejo de inferioridad desaparecerá y no volverás a sentirte infeliz. Pues sabes que eres aceptado por Dios, que te ama y que tiene un aprecio especial para ti ... Aquel que es Hacedor y Padre de todos nosotros, nuestro Juez, cuyo juicio es el único que cuenta.

Aún hay algo más que te consolará. Tu falta de habilidad en ciertos aspectos de la vida te da una ventaja. Por causa de tu inhabilidad, la dependencia y confianza en Dios se hará natural en ti. Siempre tendrás que pedirle que venga en tu ayuda, ya que tú solo eres incapaz de lograrlo. Esto hace que tu dependencia de Él sea cada vez más profunda y te guía a una relación más íntima con tu Dios y Padre, mucho más íntima que aquellos que pueden resolver el asunto «solos». En Dios encontrarás una rica fuente de alegría y amor, que fluye de Él para ti. Este amor encenderá a cambio un amor por tu prójimo; ¡y qué cosa más preciosa es esa, ya que el amor es el más grande de los dones! (ver 1 Co. 13). El amor por tu prójimo les hará abrir su corazón hacia ti de tal forma que los hará más receptivos, como si tuvieras muchos dones y otras ventajas en tu forma de ser. Por lo tanto, ama, y la tristeza y las inhibiciones por causa de tu inhabilidad desaparecerán. El amor de Jesús habrá triunfado en ti.

Cada vez que visité a un anciano pariente mío y le pregunté cómo se encontraba, su respuesta hacía eco de su sufrimiento porque se hacía viejo, y decía: «Bueno, todo se está deteriorando. Mi vista, mi oído... todo se acaba».

¡Qué duro es cuando nuestros poderes de comprensión declinan! Este caballero, un hombre inteligente que tenía un lugar de prominencia en los círculos intelectuales, ahora ni siquiera leía el periódico; tampoco podía seguir los sucesos de actualidad, ni mucho menos leer libros, porque ya le era imposible comprender nada con propiedad. ¡Qué humillación! Aunque quería entender, ya no podía.

Entonces llegó el lamento: «¡Mi memoria está fallando!». Durante 80 años, este caballero fue bendecido con una excelente memoria. Pero de pronto su capacidad de recordar disminuyó y ya no pudo expresar sus puntos de vista como le hubiera gustado hacerlo, porque los hechos se habían escapado de su memoria. En muchos temas no podía unirse a la conversación porque ahora era un ignorante en la materia.

Antes todos sus movimientos, particularmente cuando andaba, eran rápidos, pero ahora sólo podía moverse hacia

vejez

adelante con dificultad, apoyándose en el brazo de alguien o con la ayuda de un bastón. Dependía de varios instrumentos de apoyo y necesitaba ayuda constantemente. Él podía experimentar la pobreza de la existencia humana cuando Dios retira las facultades físicas y mentales, nos hace pobres en el sentido más verdadero de la palabra y por lo tanto, dependientes de los demás.

Muchas personas de edad avanzada también sufren emocionalmente. A menudo están solos. Su cónyuge puede que haya muerto; sus hijos han crecido y viven en cualquier otra parte con sus propias familias. Muchos de sus amigos y conocidos han fallecido también y... ¿quién se preocupa realmente por un anciano? Muy pocos reciben amor, especialmente si no lo sembraron durante su vida.

Sí, hacerse viejo es una forma de sufrimiento. Además, a menudo va acompañado por varias enfermedades que aparecen con la edad. La inhabilidad de hacer las cosas como a uno le gustaría está en todas las áreas. Esto es un peligro potencial. Puede causar rebelión en su corazón contra su condición y traer amargura, haciendo de esta forma la vida difícil para sí mismo e insoportable para los que le rodean. Como dice el refrán: «*Hacerse viejo es un arte que no todos dominan*».

Aun así, el arte de hacerse viejo no solamente se puede dominar. Un brillo especial puede descansar sobre una persona anciana. Dios quiere transformar este sufrimiento en bendición. Sí, incluso en gloria. Este anciano pariente mío fue un testimonio de esto que digo. Al tener mucho tiempo para pasar meditando y orando por causa de sus disminuidas facultades mentales y condición física, podía considerar una y otra vez cómo estaba su vida ante los ojos de Dios. Entonces, para mi asombro, cada vez que lo visitaba, pude oír cómo el Señor le había mostrado algo nuevo que no había estado bien en su vida. Por ejemplo, una vez me dijo que sus muchas habilidades lo habían hecho orgulloso y ambicioso, y que estaba agradecido de que todavía tenía tiempo para arrepentirse de ello. Ahora, cuando el Señor lo estaba dirigiendo por senderos que lo harían pequeño y humilde, él quería aceptarlo gustosamente, y con gratitud a Dios.

Según aceptaba la verdad acerca de sí mismo, una transformación operaba en su vida. Se humilló bajo la poderosa mano de Dios y fue llenado de arrepentimiento por cada cosa que en el pasado no había estado bien. ¡Qué diferente era su vida ahora! En una época fue un hombre prominente y muy amado en una posición de liderazgo, pero ahora que Dios le había quitado todo y tenía que depender de los demás, llegó a ser más y más humilde y agradecido hasta por el más pequeño de los servicios que le hacían.

Ahora que sus facultades mentales estaban disminuyendo, sus facultades espirituales crecían año tras año. Era notable. Cuando oraba parecía como si volviera a tener una excelente memoria, mejor que la de cualquiera. Traía ante el Señor todas las necesidades de aquellos por los que él tenía responsabilidad, así como los intereses y problemas de varios ministerios cristianos.

Sí, cuando el hombre exterior con todos sus dones y habilidades mengua, el hombre interior puede ser renovado progresivamente (ver 2 Co. 4:16). En la misma medida en que los dones que pertenecen a la vida humana y terrenal disminuyan, los dones espirituales emergerán y se harán cada vez más fuertes. Pero hay un requisito para esto: tener fe en nuestro Señor Jesús. Aquel que cree en Él, tiene vida eterna, es decir vida divina, y la vida divina es inmortal. Esta verdad está demostrada en aquellas personas en quienes vive Jesucristo, porque Él es el Eterno, cuya fuerza divina nunca puede ser disminuida o matada. Aun cuando gradualmente se desvanezcan nuestras fuerzas y dones humanos, si Cristo habita en nosotros se manifestará aún más en su poder y gloria.

¡Qué bendición hay en hacerse viejo! ¡Qué preciosa oportunidad para que la gloria de Dios pueda brillar! Así, este anciano se hizo el foco de la vida espiritual para muchos, que acudieron a pedirle oraciones o su bendición. De ninguna forma había quedado a un lado, carente de amor, sin una misión o un propósito en la vida y siendo carga para los demás, como se suele decir de los ancianos. Más bien tenía un tremendo ministerio que llevó mucha bendición a los demás, porque Jesús estaba vivo en él. Porque las aflicciones de la edad lo hicieron humilde y pequeño, Jesús pudo tener más y más lugar en él y brillar aun con más fuerza. Y ya que este hombre revisó toda su vida arrepintiéndose de aquello que no estaba bien, Cristo pudo glorificarse en mayor medida a través de él y otorgarle poder espiritual.

Dios quiere que rebosen manantiales de alegría eterna en la vejez. Sí, la vejez puede traer gozo verdadero, ya que todos los que aman a nuestro Señor Jesús, según envejecen, se caracterizarán por el gozo de que se acerca el momento de ser llamados al hogar celestial con aquél a quien aman. «Pronto lo veré. Pronto estaré en mi hogar eterno, en el reino de la paz, del amor y del gozo eterno, en la Ciudad de Dios, donde podré vivir en la mayor dicha». Dios quiere impartir este gozo a aquellos que sobrellevan los padecimientos de la vejez en unión con Él, como hemos visto en el caso de este anciano.

Hay una cosa que no debemos hacer: rebelarnos en nuestro corazón contra los padecimientos de la vejez. Si lo hacemos, mataremos la vida divina y eterna dentro de nosotros, ya que cada rebelión nos separa de Dios y le impide derramar su divina vida dentro de nosotros.

Pero, todos aquellos que aceptan los padecimientos de la vejez y rinden completamente su voluntad a nuestro Señor Jesucristo experimentarán la realidad de su gran promesa: *«Mi amor es todo lo que necesitas; pues mi poder se muestra mejor en los débiles»* (2 Co. 12:9). Y, ¿cuál es este poder? Es el poder del amor, el gozo, la oración y la autoridad en el Señor. Todo esto va a ser nuestro cuando nos llegue la vejez. Una maravillosa perspectiva según nos hacemos viejos.

¡Ay, si todos los que no han rendido todavía completamente su vida a Jesús en todo lo que son y lo que tienen, se encomendaran ahora a Él y lo amaran por encima de todas las demás cosas! ¡Vale la pena! El gozo y la felicidad habitan en aquellos en quienes Jesús ha hecho su morada. Esto es especialmente visible en los ancianos. Ellos lo reflejan, traen gozo a los demás y viven en una bendita expectativa del día en que el Señor los llame al hogar celestial. Sí, en Jesucristo tienen todo lo que necesitan y desean;

porque cuando llegamos a ser como nada, entonces, Aquel que lo es todo en todo, puede hacerlo todo en nosotros y darnos todo lo que nos haga falta. Y allá, brillaremos como las estrellas en su reino.

12 necesidad y escasez

Han terminado los días de abundancia, incluso para los países occidentales. Las crisis económicas se están extendiendo por todo el mundo y amenazan con convertirse en un desastre económico mundial con terrible pobreza y hambre. Negocio tras negocio está entrando en bancarrota; los precios suben constantemente, mientras que el desempleo prevalece por todas partes. Puede que dolorosamente te estés, dando cuenta de que cada vez eres más pobre. El poco dinero que posees está perdiendo su valor, y con la pobreza oprimiéndote el corazón te preguntas cómo vas a poder ganar lo necesario para mantener a tu familia.

La inquietud de que la pobreza pronto visitará tu hogar, si no lo ha hecho ya, es una especie de sufrimiento. Pero Dios tiene el poder de transformar este sufrimiento en ganancia para ti. Él puede ocuparse de que cada una de tus necesidades básicas sean suplidas y, lo más importante de todo, que puedas experimentar su presencia como nunca antes lo has podido hacer. ¿Cuándo sucederá eso? Cuando acudas ante el Señor con todas tus preocupaciones y necesidades. Mientras has tenido todo en abundancia, puede que hayas tomado sus dones, pero no has acudido a tu Padre Celestial para conversar con Él de tus necesidades diarias. Pero empieza ahora a suplicarle ayuda y confía en Él, pues Él conoce tu necesidad y tiene la capacidad para hacer que lo pobre sea rico. El Padre Celestial tiene compasión del necesitado y siempre irá en su ayuda.

Pudimos experimentar esto en el período posterior a la Segunda Guerra Mundial, cuando miles de refugiados cruzaban nuestro país sin tener ninguna posesión, después de haber perdido, durante la fuga, lo poco que pudieron llevar con ellos. Eran pobres en todos los aspectos. Incluso aquellos que habían sido ricos propietarios de tierras ahora no poseían nada. Y aun así, ¿qué habían testificado muchos de ellos algunos años después, cuando lograron establecerse de nuevo y tenían algunas posesiones? «Cuando éramos pobres, nos sentíamos más felices. Constantemente clamábamos al Señor y confiábamos en su ayuda. Así podíamos experimentar numerosos ejemplos de su milagrosa provisión. De una forma inesperada recibíamos lo que necesitábamos desde varios lugares, aunque desde el punto de vista humano era casi imposible. De una forma personal podíamos experimentar el amor que el Padre Celestial sentía por nosotros. ¡Qué relación más profunda y feliz teníamos con Él! ¡Y qué cercano estaba de nosotros! En cada momento que recibíamos su ayuda, en cada muestra de su amor, nos embargaba un gozo como nunca antes habíamos sentido. ¡A menudo deseamos que aquellos días pudieran volver!»

Sí, es verdad. Él convierte lo pobre en rico. Su corazón se conmueve por ellos. Nosotras también experimentamos esto en nuestra Hermandad, la cual fue fundada recién terminó la Segunda Guerra Mundial. En aquellos días el alimento era muy escaso, y cuando un cierto número de hermanas llegaron para integrarse a la comunidad, ninguna de ellas pudo traer consigo sus cien kilos de papas que habían sido racionadas para cada persona durante el invierno. ¿De qué íbamos a vivir? Las papas eran nuestro alimento básico y... ¡sólo teníamos suficiente para dos personas! Además nos faltaban otros artículos alimenticios, dinero, vestuario, utensilios para el hogar y, en fin, un montón de cosas. Pero justamente entonces pudimos experimentar milagro tras milagro. Por ejemplo, Dios multiplicó nuestras papas después de que la hermana de la cocina y yo oramos cada noche en el sótano donde estaban almacenadas las pocas que teníamos, para que Dios las bendijera. Tuvimos suficientes para comer durante todo el año, aunque había siete hermanas más, así como algunos invitados. También sucedió que los utensilios que necesitábamos incluyendo una escoba, por la cual oramos y que en aquellos días escaseaban muchísimo, de repente un día llegaron. ¡Qué regocijo hubo cuando llegó un paquete con una escoba! La persona que la donaba añadió una nota donde nos decía que el Señor había puesto en su corazón que nos enviara una escoba.

Podría continuar contando cosas así y llenar muchas páginas. Sí, nosotras hemos experimentado desde, 1947, el comienzo de la hermandad, que Dios mantiene su palabra. Si buscamos primero el Reino de Dios, es decir, si vivimos para eso, encomendando nuestros esfuerzos y cada ofrenda para lograr la extensión de su Reino; si vivimos de acuerdo con sus mandamientos y en una actitud de contrición y arrepentimiento; entonces, todas las demás cosas que necesitemos nos serán añadidas (ver Mt. 6:33). Siempre hemos vivido por la fe, no recibimos ingresos regulares, ni cobramos nada por nuestros servicios. Éramos pobres. ¿De qué íbamos a vivir en los años iniciales? En aquella época no teníamos un buen círculo de amigos, pero aun así, todas nuestras necesidades eran cubiertas. Siempre hemos tenido alimentos para la mesa[6], y hasta el día de hoy hemos vivido de la provisión milagrosa de Dios, experimentando la realidad de las palabras de Jesús: ante los ojos de Dios valemos más que los lirios del campo, a los que Él viste con tanta hermosura. Ahora somos aproximadamente 200 hermanas. Los donativos que recibimos de nuestro círculo de amigos se usa exclusivamente para el trabajo en el Reino de Dios, pero aun así, todavía nos sentamos a una mesa servida y tenemos todo lo que necesitamos para vivir.

No obstante, en el camino de la pobreza descubrimos cada día que, si nos falta algo, nuestras necesidades no se cubren automáticamente respondiendo a nuestra oración. Como he mencionado en un capítulo anterior, nuestras oraciones tienen poder ante Dios y su promesa continúa siendo válida si quitamos de la oración todos los obstáculos, como cualquier clase de tensión o falta de reconciliación entre nosotras, amarguras en nuestro corazón o donde no hemos tomado lo suficientemente en serio los mandamientos de Dios. Esto significa confesar nuestros

---

6 - Para leer más sobre el tema, leer *Realidades - experiencias actuales de la acción de Dios,* por Basilea Schlink.

pecados en contrición, y pedir perdón a Jesús y a nuestro prójimo, y enmendar nuestra conducta. De acuerdo con la Sagrada Escritura, ésta es la condición para recibir respuesta a nuestras oraciones, y solamente bajo esta condición podemos experimentar de nuevo que Dios oye las peticiones de los pobres, como dice en su Palabra: *«Pues él salvará al pobre que suplica y al necesitado que no tiene quien le ayude»*(Sal. 72:12).

Así que puede ser un gozo ser pobre, porque la pobreza contiene un maravilloso tesoro como cualquier otro sufrimiento que soportemos con Jesús: una abundancia de gozo y gloria. Y si en nuestra pobreza estamos dispuestos a compartir con el necesitado lo poco que tenemos, Dios mantendrá su palabra: *«Den a otros, y Dios les dará a ustedes»*(Lc. 6:38). Aquellos que son pobres, porque voluntariamente dan de lo que tienen, serán los más ricos de todos, porque Dios les devolverá abundantemente. Una misionera que fue secuestrada por la guerrilla y pasó muchas semanas arrastrándose entre los matorrales, nos contó que cuando uno de los guardias le dijo que le diera a él su medicina, ella se la dio con dolor en el corazón, porque significaba mucho para ella; sin esta medicina nunca podría soportar el esfuerzo de aquellas agotadoras semanas. En ese momento, Dios hizo un milagro. Sucedió completamente lo opuesto de lo que se esperaba: su salud fue mejor que cuando tenía su medicina.

Situaciones parecidas experimentamos también en tiempos de escasez, pues cuán rápidamente puede una crisis económica mundial conducir a una época de hambre. Si en ese momento damos nuestro último trozo de pan, Dios nos hará ricos en nuestra pobreza, nos fortalecerá y nos sustentará, porque su presencia lo transforma todo, sobrepasando las mismas leyes de la naturaleza.

Así que no tengamos temor a las épocas de privación y de hambre. Más bien temamos a Dios, no tomando a la ligera el pecado, sino siguiendo la senda que le agrada a Él. Vivamos de acuerdo con sus mandamientos y para la extensión de su Reino. Demos de lo que tenemos con alegría. De esa forma, como el pobre y el necesitado, seremos los más ricos de todos por medio de Él y en Él.

Cuán a menudo se oye decir hoy en día: «El diagnóstico es cáncer. Probablemente este paciente no vivirá mucho tiempo». O has alcanzado la edad en que el encuentro con la muerte está inevitablemente cercano. Todos los días del año la muerte cobra vidas en las calles con miles de accidentes automovilísticos mortales. ¿Quién puede saber de antemano si su próximo viaje en automóvil será el último que haga? La violencia y el asesinato están aumentando. Las revueltas hacen insegura la vida, y las guerras son una amenaza constante. La muerte está acechando por doquier, y te encuentras afligido por temor a ella.

El temor a la muerte parece ser un tipo especial de miedo, en realidad, el más grande de todos. De otra forma, la expresión «me diste un susto de muerte», no sería comúnmente usada para describir una situación de temor extremo (para describir una persona atormentada por el miedo). Jesús sabía plenamente de las implicaciones de la muerte. Leemos que después de la muerte de Lázaro, Él se acercó a las gimientes hermanas, profundamente conmovido y turbado. Y al dirigirse a la tumba, Jesús lloró (ver Jn.11:33-38). En el huerto de Getsemaní, cuando luchaba contra la muerte, es decir, contra el príncipe de la muerte, Jesús derramó lágrimas y sudó gotas de sangre. Tan grande era su agonía que su rostro reflejaba horror y la angustia más profunda cuando se dirigió a sus discípulos.

No fue sin razón que nuestros antepasados escribían en las paredes de sus casas y en sus libros de contabilidad las palabras «*Memento mori*», lo que quiere decir: «Recuerda que has de morir». La muerte es el acontecimiento más decisivo de nuestra vida por causa de su finalidad. ¿Por qué tememos a la muerte? No es simplemente el hecho de que nos arranque de esta vida, sino el temor y la incertidumbre de lo que venga después. Esto es lo que a menudo nos atormenta. «¿Dónde me despertaré? ¿Dónde me encontraré luego?». Sabemos que cosecharemos de acuerdo con las semillas que hemos sembrado en esta vida. Cuando morimos tenemos que entrar en otro mundo y enfrentarnos con Él, que es el Juez de los vivos y de los muertos. Pablo también se refería a la muerte cuando dijo: «*Porque todos tenemos que presentarnos ante el tribunal de Cristo, para que cada uno reciba lo que le corresponda, según lo bueno o lo malo que haya hecho mientras estaba en el cuerpo*»(2 Co. 5:10). La muerte nos llevará inevitablemente a un lugar donde tendremos que rendir cuentas de toda nuestra vida, algo que tal vez hubiéramos deseado evitar a toda costa durante nuestra existencia terrenal.

De cara a la muerte ya no podemos tener ningún control sobre nada, ni tampoco podemos decidir sobre qué hacer. Estamos completamente en las manos de Dios. La mayoría de las personas, incluso los incrédulos, se sobrecogen de un gran temor en los umbrales de la muerte. El hecho de tener que cruzar por el valle de la sombra de muerte, probablemente sea el sufrimiento más grande que debemos soportar. Con la llegada de la muerte nos enfrentamos con la pregunta: «¿Tendrá Satanás derecho sobre nosotros y nos llevará consigo a su reino para siempre?". Satanás es el Acusador. Cada pecado en nuestra vida que esté sin confesar y sin arrepentimiento, le da derecho sobre nosotros. Ésta es la razón porque muchas personas, incluyéndote quizás a ti, se aflige por el temor ante la perspectiva de la muerte.

Descartar simplemente el pensamiento de la muerte no es la forma de vencer el temor. Lo único que puede ayudarte es prepararte para la muerte. Recuerda que tu última hora se está acercando, esa hora en la que se decidirá tu destino eterno. Puede que seas llevado como una presa de Satanás, hacia su reino de tinieblas, o que tengas el privilegio de entrar en la morada celestial que Jesús ha preparado para nosotros (ver Jn. 14:2). Esto último, sin embargo, no viene de forma natural ni siquiera para los que creen en el Señor, ya que Satanás tiene derecho sobre nuestras vidas si criticamos a los demás, si vivimos en contiendas, amarguras, resentimientos e irreconciliación, y hasta permitiéndole un lugar al odio dentro de nuestro corazón. La Biblia se dirige a los creyentes cuando dice que aquellos que hacen tales cosas no entrarán en el Reino de Dios (ver Gál. 5:19-21). Por tanto, prepárate, para que en la hora de la muerte seas llevado por los ángeles al Reino de Jesús. Esta gracia te será concedida si no persistes en los pecados del mundo, o en aquellos otros más sutiles como el fariseísmo y la hipocresía, sino que por el contrario, te acercas a la cruz de Jesús con contrición cada vez que peques, ya sea de pensamiento, palabra u obra, y confiesas tu pecado a Dios y a los hombres, pidiendo perdón y viviendo una vida de reconciliación con los demás. Dios es misericordioso con los pecadores que se arrepienten y les permite entrar en su Reino cuando llegue su último momento.

Cuán urgente es el llamado de Jesús mientras estamos en la tierra y todavía hay tiempo de gracia: «¡Arrepiéntete de tus pecados y confiésalos!». Píde siempre al Señor que te dé luz para que puedas ver tus pecados, y los lleves a Jesús. Entonces, experimentarás algo maravilloso: el perdón de tus pecados. La sangre de Jesús cubrirá tu culpa, y las puertas del paraíso se abrirán para ti tal como le aconteció al malhechor en la cruz, el cual se arrepintió y reconoció su culpa. Tu temor a la muerte desaparecerá cuando hayas confesado tus pecados y hayas recibido perdón. Así tendrás paz, una gran paz ahora, y aún más, cuando pases después por el valle de la muerte para estar con tu Padre Celestial para siempre.

Por lo tanto, escucha la voz de Jesús, que te está diciendo hoy: «Ven a mí. Arrepiéntete ahora mientras todavía tienes tiempo. Ven para que puedas recibir perdón. Entonces Satanás perderá el derecho sobre ti, y en vez de que la muerte te traiga condenación, tú serás perdonado». Aun así, todos tendremos que comparecer ante el trono del juicio de Cristo. De eso no se va a librar nadie. Pero este juicio no se trata de la salvación, sino de la recompensa o la pérdida de ésta, porque seremos galardonados de acuerdo con los frutos que hayamos producido en nuestra vida terrenal.

La agonía de necesitar enfrentar la muerte y tener que pasar por ese valle oscuro, se puede transformar en gozo; sí, en un gozo y en una gloria eterna. Pero, ¿para quién? Para aquel que se ha preparado de antemano, permitiendo que la luz de Dios caiga sobre su vida y lo convenza de pecado. Así que humíllate delante de Dios y de los hombres. Sigue las huellas de Jesús, ámalo sobre todo, y entrégate completamente a Él; el amor por Jesús siempre incluye el amor a nuestro prójimo. Entonces te darás cuenta de que la muerte no solamente pierde su terror, sino que sucede algo maravilloso, como muchos cristianos han experimentado. Cuanto más cerca de la muerte estaban, tanto más cerca estaba el cielo. Se encontraban inmersos en torrentes de gozo y de bendición divinos. Sí, Jesús se acercó tanto a ellos con sus ángeles y santos, que estos cristianos moribundos se regocijaban en su corazón con un gran deseo: volar al hogar celestial lo más pronto posible para estar junto con aquel a quien tanto amaban.

Nunca olvidaré lo que aconteció con nuestra hermana Claudia. Con apenas 35 años, rebosante de vida y que nunca había estado enferma, con un contagioso gozo y un amor ferviente por Jesús, de repente fue agobiada por una enfermedad en la sangre durante su ministerio en Italia. Volvió a la Casa Matriz y más tarde la enviamos a una clínica especializada. Pocos días después nos dijeron que los médicos ya no podían hacer nada más por ella. Sus días estaban contados. Con corazones temerosos tuvimos que darle la noticia, pero... ¿qué fue lo que la Madre Martyria y yo experimentamos al entrar en su cuarto? Realmente, ella ya lo sabía, especialmente por una insinuación del doctor.

Nos recibió con una radiante sonrisa que no era de este mundo. El Señor Jesús había venido a saludarla, e hizo reposar sobre ella el brillo del cielo. Sucedió durante su viaje de vuelta de Roma, según escribió en su diario:

> *El avión volaba en dirección al sol. De repente me pareció como si el Señor estuviera preguntándome: «¿Y si esta enfermedad te lleva a la muerte?». ¡Ay, Jesús, en este momento has llenado mi corazón con un anhelo tan infinito que apenas puedo contener el gozo de que pronto, muy pronto te veré; ¡muy pronto te abrazaré! ¿Será este viaje a casa un viaje que me lleve a los brazos de mi Señor? ¿Será éste mi «vuelo nupcial»?[7]*

Jesús venció el poder de la muerte, y, si creemos en Él, experimentaremos su victoria y la gracia que Él ha ganado para nosotros. La muerte no solamente perderá su horror, también al morir, veremos la gloria de Dios, como sucedió con Esteban (ver Hch. 7:54-56). Esto experimentarán todos los que vivían «en el cielo» mientras estaban aquí en la tierra; por haber estado unidos en amor a Jesús, su ser más profundo estaba con Él, el cual, sentado a la diestra de Dios, es el centro mismo del cielo. La muerte es la puerta a la vida divina, al reino de la gloria, para aquellos que vivieron solamente para Jesús, sacrificándose por Él y siguiéndole

---

7 - Ver: *Si yo amara solamente a Jesús,* por Basilea Schlink, (historia de la hermana Claudia)

en su senda de humildad y de obediencia, rindiendo su voluntad a Él y confiando en Él. Sí, para quien el vivir era Cristo, el morir será ganancia (ver Fil. 1:21). La vida divina en sus corazones no puede morir a la hora de la muerte, sino, más bien, esta vida divina se manifestará en toda su plenitud cuando vayan al hogar celestial con aquel a quien amaban sobre todas las cosas, con Jesucristo, a quien podrán contemplar por toda la eternidad.

Es incomprensible que el sufrimiento causado por el temor a la muerte pueda ser transformado en el gozo más bendito y celestial. ¡Qué Dios más maravilloso tenemos! ¡Qué tremendos milagros puede obrar, transformando el sufrimiento más profundo en el gozo más supremo! La muerte nos lleva al hogar celestial con Dios, al reino de felicidad eterna.

14 trato injusto

Te preguntas: «¿qué voy a hacer? ¡Casi no puedo soportar más cómo los otros, sea en el trabajo o en casa, se aprovechan de mí! Esperan que sea yo quien trabaje mientras ellos se ponen cómodos, a sus anchas. Me dejan todas las tareas desagradables. No les importa lo que me cuesta de tiempo, esfuerzo, energías...La vida en compañía de mis colegas y mi familia se ha convertido en una verdadera carga para mí». Rehúsas a que otros se aprovechen de ti. Además, todo esto va contra tu sentido de la justicia.

Sí, el tratamiento injusto puede ser una dolorosa forma de sufrimiento. A menudo nos causa graves daños en nuestra carrera, así como pérdida de dinero y de bienes; pero, sobre todo, hay un gran peligro de dejar que el resentimiento y la amargura entren en nuestro corazón. Quizás nos ha costado muchos dolores y sinsabores crear un pequeño negocio para que después venga alguien pidiendo prestada una suma de dinero que nunca devolverá. Incluso puede que se enfade con nosotros y que nos difame, y así tendremos que sufrir el doble. No es fácil ver cómo el dinero que hemos ganado con mucho esfuerzo lo malgastan los demás.

¿Cómo vamos a soportar este sufrimiento? Una vez experimenté, a pequeña escala, lo que significa el ser aprovechado por alguien. Más tarde tuve que experimentarlo en mayor escala, y no es que esto sea poco común, porque esto es parte de la vida cristiana normal. Mi primer encuentro con esta situación fue hace aproximadamente 35 años. En nuestra Hermandad de María acabábamos de publicar nuestros primeros libritos que contenían el mensaje que Dios nos había confiado. Fue una gran aventura de fe reunir los fondos necesarios para pagar el costo de impresión, en aquellos días de terrible pobreza, y estábamos completamente llenas de gratitud cuando vimos que se podían pagar las facturas. En una pequeña sala que servía de exposición de las tarjetas que se escribían a mano y de otros artículos artísticos que hacíamos en nuestro taller, expusimos también los libritos. Y... ¿Qué sucedió?

Un vendedor itinerante cristiano que iba por los pueblos, de casa en casa, ofreciendo literatura cristiana, nos visitó un día. En nuestra sala de exposición, su compañero le explicó: «Puedes tomar lo que quieras. Todo es gratis». Así que este hombre llenó su maleta de nuestra literatura y se marchó sin dejar ni una sola moneda en la caja de las ofrendas. Nuestra literatura y nuestros productos no tenían un precio fijo, porque, como un ministerio de fe, lo dejamos para que éste sea establecido por aquel que lo toma y por su deseo de contribuir como un donativo. Aprovechándose de esta oportunidad, este hombre fue y vendió los libros. Quedé perturbada por esto, y pude sentir que el disgusto se acumulaba en mi corazón hacia él por la forma en que nos había tratado y los métodos que usaba para desarrollar su ministerio de literatura.

Pero entonces comprendí que el mismo Dios nos había mandado a ese hombre. Él era el instrumento que Dios usaría para trabajar en mí. Este incidente me tomó de sorpresa y, al principio, no confíe en Dios lo suficiente. Ahora yo debía aprender a confiar en Dios y contar con su ayuda, que podremos experimentar sólo si seguimos a Jesús por su camino: el camino del Cordero. En los siguientes años ocurrieron incidentes más serios, y las implicaciones del camino del Cordero se hicieron cada vez más claras para mí. Como un cordero, Jesús soportó injusticias durante su vida terrenal, aunque era el Hijo de Dios. Él rindió sus derechos a Dios el Padre, quien juzga con justicia y quien en su tiempo perfecto haría justicia para su Hijo (ver Sal. 9:4). Andar el camino del Cordero para nosotros significa que en vez de reclamar nuestros derechos en nuestro interior y enfadarnos con la persona que se aprovecha de nosotros y nos hace algún mal, aceptemos pacientemente este sufrimiento de la mano de Dios y después le encomendamos todo al Señor, confiando que Él nos cuidará y luchará por nosotros.

Ir por el camino del Cordero no quiere decir que siempre debemos tolerar todo. Puede haber situaciones en que estemos obligados a ayudar a nuestro prójimo a ver dónde él erró. Pero esto debe hacerse con un espíritu humilde, amable y dispuesto a perdonar. En cualquier caso, el ir por el camino del Cordero significa amar, bendecir y hacer el bien a la persona que injustamente se ha aprovechado de nosotros. Así, Dios también nos bendecirá y nos ayudará. Mientras más aprendí a ir por este «camino del Cordero», a soportar la injusticia y el ser aprovechada calladamente, y con pensamientos de bendición hacia la otra persona, creció mi confianza en la habilidad de Dios en compensar abundantemente todo el daño hecho.

Pensando en nuestro Señor Jesús, este camino llegó a ser muy precioso para mí. No era porque ya no tenía que luchar más por mis derechos, sino porque ahora había descubierto que detrás de todo aquello había un maravilloso plan de Dios para acercarme más a su presencia, pues en el camino del Cordero yo estaba profundamente unida a Él. Y esto no era todo. Cada vez que los demás hacían algo mal contra mí y se aprovechaban de mí, le daba al Padre Celestial la oportunidad de cuidarme y de demostrarme, en su momento oportuno, su poder y su ayuda.

Yo iba a experimentar todo esto abundantemente en la subsecuente historia de nuestra Hermandad. Se puede decir que en la medida en que entregábamos nuestros derechos y así, humanamente hablando, poníamos en peligro la continuación de nuestro ministerio, en esa misma medida el Señor intervenía a nuestro favor y hasta el momento ha suplido todas nuestras necesidades sin siquiera hacer peticiones de apoyo financiero. En nuestro Centro de Retiros, en nuestro pequeño Hogar de Ancianos, en nuestras exposiciones de literatura, en cualquiera de los servicios, se dejaba enteramente a disposición de las personas la cantidad con la que ellos deseaban contribuir con donativos.

Por supuesto que esto encerraba un riesgo, porque podrían aprovecharse de nosotras. No obstante, nunca nos ha faltado nada y hasta la fecha hemos podido llevar a cabo nuestro ministerio mundial sin tener jamás una deuda. Un profesor de matemáticas lo llamó en una ocasión «las matemáticas celestiales».

¿Estamos dispuestos a permitir que otros, a veces, se aprovechen de nosotros? Dios nuestro Padre está esperando que estemos dispuestos, porque así podrá enriquecer nuestras vidas, sobre todo espiritualmente, atrayéndonos hacia sí en la medida en que aprendamos a confiar en Él. Así experimentaremos la gran bendición que es ser un hijo de Dios. En vez de tener que depender de los demás, podemos decírselo todo y recibir de Él todo lo que necesitemos. Y si Él permite que suframos injusticias, su objetivo es moldearnos a la imagen del Cordero. Así nos acercaremos más a nuestro Señor Jesús, haciéndonos uno con Él, nuestro paciente y sufrido Señor, quien soportó tantas injusticias. Y así, ríos de bendición fluirán de este sufrimiento. No es reclamando nuestros derechos, sino cuando seguimos este camino, que tal bendición e íntima comunión con Jesús es nuestra. El camino del Cordero, que nos une con Jesús y que alimenta una relación infantil de confianza con el Padre Celestial, nos dirige a la Ciudad de Dios, donde estaremos con Él por siempre. Así que... ¿qué es lo que nos trae este sufrimiento? Nos trae gozo y felicidad para toda la eternidad. ¡Créelo!

15 soportando el odio y la calumnia

Todo aquel que ya fue odiado o calumniado por una persona o por un grupo, y cuyo nombre fue arrastrado por el lodo, sabe cuáles son las heridas que esto inflige en el alma. Decimos que el odio mata. Sí, el odio es un asesinato psicológico. La calumnia y las mentiras pueden tener un efecto devastador en una persona, hasta agotarlo y enfermarlo. Pueden dañar muchas cosas en su vida, como su prestigio, su reputación y su carrera.

El origen del odio, muchas veces es, la envidia o los celos. Si una persona está llena de odio hacia alguien, no le importa si sus comentarios son afirmaciones injuriosas y mentiras calumniosas. Nada le convencerá de su error. Por el contrario, cuando es confrontado con la verdad, su odio incluso crece.

Puede que nos preguntemos cómo vamos a soportar todo esto. Seguramente es una de las formas de sufrimiento más grandes: estar expuesto al odio, a la calumnia, a la vergüenza y a la deshonra, aun cuando sea por causa de Jesús. Hay personas que son capaces de soportar con valentía muchas clases de sufrimiento, pero cuando la calumnia llega a sus vidas se sienten incapaces de tolerarla.

Aun así, Jesús pronunció la más larga de las bienaventuranzas sobre aquellos cuyos nombres son despreciados como cosa mala, que son ultrajados y, sobre todo, que mienten por su causa. Jesús nos llama, cuando nos dice: «*Alégrense mucho, llénense de gozo en ese día, porque ustedes recibirán un gran premio en el cielo*» (ver Lc. 6:23 ss.; Mt. 5:11ss).

Pero...¿cómo viene a ser nuestro este gozo? Desearíamos tenerlo, pero normalmente nuestro corazón se hiere profundamente cuando encontramos el odio y la deshonra. O bien nos resignamos, o nos llenamos de amargura; la rebelión o incluso el odio sube dentro de nosotros cuando pensamos en la persona que nos ha herido y nos ha hecho mal. Las mentiras van contra nuestro sentido de la justicia, entonces surge nuestra indignación. Incluso por las noches puede que no tengamos paz porque estamos llenos de pensamientos y acusaciones amargas. Y así de fácil también pasamos a rebelarnos contra Dios, quejándonos de Él, al decirle: «¿Por qué envías esta deshonra a mi vida? ¿Por qué permites que mi reputación se venga al suelo? ¿Por qué tengo que sufrir tanto odio?». Pensamos que esta herida en nuestro corazón jamás sanará; es demasiado profunda.

Por experiencia personal sé cómo queman las heridas de la calumnia. Esto comenzó hace años cuando brotó un avivamiento en nuestro trabajo con la juventud, que más tarde nos llevó a fundar nuestra Hermandad. Cuando más tarde nuestra pequeña *Tierra de Canaán* se estableció y ganó reconocimiento, siendo un centro espiritual con visitantes de todas partes del mundo, más y más personas se volvieron envidiosas, y la calumnia y odio crecieron en la misma proporción. No sólo recibí cartas llenas de mentiras y acusaciones que me atribuían cosas malas, sino que algunos personajes comenzaron una verdadera campaña contra la Hermandad y particularmente contra mí. Enviaron cartas a muchas organizaciones cristianas, para ponerlas en guardia contra nosotras e incluso amenazando con tomar medidas en contra de ellas si se mantenían en contacto con nosotras y publicaban mi literatura. A los cristianos se les obligó a quemar mi literatura, y en muchos casos estas instrucciones fueron obedecidas. En reuniones públicas e incluso en grabaciones se emitieron advertencias contra mí, extendiendo así la calumnia por todo el país. Nuestros adversarios llegaron a decir que tanto yo como nuestra organización éramos demoníacos porque tenemos los dones del Espíritu, llevamos una vida de arrepentimiento y de oración y porque confiamos en Dios para suplir todas nuestras necesidades. Esto estaba descrito como algo contrario a las enseñanzas de las Sagradas Escrituras. Se hacía publicación tras publicación con difamaciones y calumnias contra nosotras. Estas publicaciones se divulgaron en círculos y comités cristianos e incluso llegaron a centros misioneros de los países más distantes. Normalmente fueron aceptadas como verdaderas, porque se consideraba que era imposible que los cristianos pudieran mentir.

Cuando se tiene una herida tan profunda, ¿cómo se puede soportar el dolor? ¿Cómo se puede vencer? Dios me mostró un camino. Primero me ayudó a entender que fundamentalmente todo esto no procedía de las personas sino de Él. Tuve que aprender tanto la necesidad como el privilegio de decir: «¡Es el Señor!». Haga lo que haga siempre procede de su amoroso corazón y está de acuerdo con un plan eterno, amoroso y sabio. Está destinado a servir a nuestro más alto bienestar y a traernos bendición. Un tesoro yace escondido en este sufrimiento, que está destinado a hacernos más como Jesús. Si creemos esto, la paz y la serenidad entrarán en nuestro corazón. Y de esa forma yo pude repetir una y otra vez: «Sí, Padre, viene de tus manos y por tanto lo acepto».

Nuestro Señor Jesucristo mismo anduvo por este camino. Él fue deshonrado, burlado, calumniado, asediado de falsas acusaciones y finalmente clavado en una cruz como si fuera un criminal -a Él, el único, puro y santo-. Y yo era su discípula; yo le pertenecía. Pues ahora tenía el privilegio de permanecer a su lado de verdad y de experimentar, en alguna medida, la participación de sus sufrimientos -una gracia especial-. Jesús decía: «*Si a mí me han perseguido, también a ustedes los perseguirán...*»(Jn.15:20). Esto quería decir que yo estaba en la pista correcta como discípula de Jesús, porque también está escrito: «*Ningún discípulo es más que su maestro, y ningún criado es más que su amo. El discípulo debe conformarse con llegar a ser como su maestro, y el criado como su amo. Si al jefe de la casa lo llaman Beelzebú, ¿qué dirán de los de su familia?*»(Mt. 10:24 ss). Ahora me unía más profundamente con Jesús. Ahora tenía el privilegio de aplicar a mi vida el siguiente versículo bíblico: «*Dichosos ustedes, si alguien los insulta por causa de Cristo, porque el glorioso Espíritu de Dios está continuamente sobre ustedes*»(1ª Pe. 4:14) ¡Qué precioso don es ese! Mi corazón fue confortado y me consagré de nuevo a mi deshonrado y blasfemado Señor, con el profundo deseo de compartir su camino.

El Señor también me mostró que este camino de deshonra formaba parte de su plan para refinarme. Quería otorgarme una liberación más profunda de aquellas reacciones típicamente humanas: defender los propios derechos en vez de mostrar un amor misericordioso hacia mis enemigos. Por medio de este camino correctivo, Dios quería obrar en mí a fin de que se pudiera encontrar en mi vida cada vez más su amor misericordioso. Tenía un propósito maravilloso y santo al permitir que mis adversarios me hirieran. De esas heridas debía fluir amor misericordioso. Jesús nos redimió para este fin cuando colgaba de la cruz calumniado, odiado y lleno de sufrimiento. De su herido corazón no salió otra cosa que no fuera amor perdonador y misericordioso hacia aquellos que le habían calumniado y odiado y habían sido la causa de su muerte en la cruz.

Esto es lo que Jesús quería lograr en mí, y quiere hacer lo mismo contigo cuando te guía a situaciones en que experimentas deshonra y sufres injusticias. Él quiere despertar en nosotros lo más hermoso de todo: un amor misericordioso hacia nuestros enemigos, hacia aquellos que no solamente nos hieren sino que quizás incluso nos odian y calumnian. De nuestras heridas debería brotar amor y perdón en vez de amargura.

Yo era incapaz de producir ese amor para mis adversarios con mis propias fuerzas, ya que aún estaba preocupada por mi justificación cuando pensaba en aquellos que me habían hecho daño, a pesar de que lo soporté todo en silencio, sin pronunciar ni una sola palabra en mi defensa.

Pero Jesús, el Cordero de Dios, fue por el camino del Cordero por nosotros. Fue crucificado como un cordero y realizó su acto de salvación, para que de sus heridas brotara salvación y redención. Su sangre santa tiene el poder redentor de transformarnos en personas con un corazón de amor y misericordia. Por tanto, siempre reclamé para mí la sangre del Cordero, que Él hiciera de mí un pequeño cordero y que yo pudiera aprender no solamente a soportar la injusticia, sino a amar con todo mi corazón. Jesús oyó mi oración y con el paso del tiempo me concedió un amor cada vez más misericordioso por mis adversarios.

Cualquiera que desee fervientemente, como yo lo experimenté, amar a sus enemigos con un amor misericordioso puede clamar la sangre de Jesús. El acto de salvación de Jesús es válido; hemos sido redimidos para que podamos amar. La redención de Jesús tendrá su efecto en nuestras vidas, si admitimos humildemente nuestra falla al haber abandonado el mandamiento de Jesús de amar a nuestros enemigos y si ahora estamos dispuestos a sufrir sus ataques. Entonces, en el poder de su redención, consideraremos un privilegio el hecho de amar a nuestros enemigos. Pude experimentar que una paz cada vez más profunda llenaba mi corazón durante el proceso, y también probé el gozo que Jesús describe en el Sermón del Monte.

El gozo que Él nos da comienza, incluso, mientras estamos sufriendo y este gozo dirige nuestra mirada hacia el cielo. Allí ya no tendremos más enemigos. Nunca más seremos odiados, perseguidos, deshonrados y calumniados. Jamás se esparcirán mentiras acerca de nosotros; más bien, tendremos confraternidad con aquellos que aman y habitaremos con el Señor Jesús, el Amor Eterno. Este pensamiento era y todavía es un gran consuelo para mí. Podemos anticipar con alegría el día en que iremos al hogar celestial con nuestro Señor. En el cielo se darán coronas a aquellos que vencieron aquí en la tierra y que respondieron al odio con amor. Fiel a su palabra, Jesús otorgará abundancia de gozo y gloria en su reino para toda la eternidad a aquellos que sufrieron odio y calumnias sin causa y por amor a su nombre.

Sí, los sufrimientos del presente son pasajeros y así también son la deshonra, el odio, la degradación, la calumnia y todo lo que tenemos que soportar aquí. Como contraste, lo que encontraremos en la eternidad es duradero. Y en la eternidad, como dicen las Sagradas Escrituras, todos aquellos que fueron humillados, odiados y calumniados aquí en la tierra serán altamente honrados. Pero incluso en esta vida nos esperan bendiciones incontables. En medio del odio y la calumnia podemos aprender a amar a nuestros enemigos. ¡Verdaderamente, en ninguna parte florece tan bien este amor, como en este terreno! El hecho de poder amar enriquece nuestra vida y nos hace mucho más felices como si nunca hubiéramos experimentado el odio de otros.

Tener que enfrentar el odio y la calumnia es una forma de sufrimiento bastante severa. Pero por esta misma razón una bendición especial yace escondida en ella. ¡Créelo! La deshonra nos hará más pequeños y humildes. Y... ¿no es eso lo que deseamos? ¿No anhelamos llegar a ser como Jesús, de tal forma que un día podamos contemplarlo cara a cara? Cuando estemos destrozados por los dardos del odio y la calumnia, sometámonos al Señor de nuevo con un «¡Sí!», y declaremos: «Ay, Señor Jesús, Padre mío, quiero pasar por todo este sufrimiento, porque quiero participar de tu camino. Necesito este sufrimiento en particular porque la deshonra es humillante y me está haciendo más humilde». El sufrimiento perderá su aguijón cuando hagamos un acto de entrega como éste. Para mí fue como si Jesús estuviera diciéndome: «Humíllate cada vez más profundamente. Así mi gracia descenderá sobre ti y estarás más cerca de mí, tu humillado Señor, quien eligió seguir este camino de incalculable oprobio, deshonra y vergüenza». Y...¿qué mayor gozo podremos tener que el de estar cerca de Él?

apéndice

Mis hijas espirituales me pidieron que terminara este libro con una carta personal que han encontrado ser de mucha ayuda.

Abril de 1983

Mis queridas hijas:

Para el tiempo venidero, cuando pueda ser que algunas de ustedes tengan que pasar por horas oscuras de conflictos internos, necesidades, dificultades y, tal vez, sufrimientos aún mayores, yo quisiera saludarles con algunas pautas, que espero les puedan servir de ayuda. Estas tres frases han llegado a ser un firme apoyo, con las cuales he podido pasar el «valle de lágrimas» aquí en la tierra. La primera frase proviene de un antiguo himno de la Iglesia:

«*Nada me puede pasar fuera de lo que Dios ha escogido y que es bueno para mí*».

Pablo Fleming 1609-1640

Las otras dos son palabras de la Biblia:

«*¡Es el Señor!*» (*Jn. 21:7*); y,

«*Él tiene planes admirables, y los lleva a cabo con gran sabiduría*» (*Is. 28:29*).

Estas tres frases obran maravillas. Las he experimentado en mi vida y he visto cómo han cambiado todo. Son parte de mí. Vienen inmediatamente a mi corazón cuando la pena o el sufrimiento llegan a mi vida, cuando escucho malas noticias o cuando cargas o problemas no resueltos amenazan con hundirme.

La frase «*Nada me puede pasar fuera de lo que Dios ha escogido y que es bueno para mí*» trae consigo una influencia maravillosa, porque nos hace preguntar: «¿Quién es el que tiene el control de lo que me sucede?». Sí, ¿quién? Es nuestro Padre Celestial, nuestro querido y amado Padre. No es un dictador que dirige arbitrariamente mi vida. Al contrario, es mi Padre que planea, con infinito amor, todo lo que me sucederá. Esto significa que Él piensa en todo lo que acontece en mi vida día a día, también en las dificultades, cualesquiera que fuesen, cómo y a través de quién me llegaron. Él ha planeado exactamente lo que es bueno y saludable para mí. Todo lo que me sucede lo ha concebido en su corazón amoroso. Sí, hay un amoroso propósito detrás de todo ello.

Esta certeza puede aliviar nuestras aflicciones y tranquilizar nuestras mentes, pues cuando una persona me lastima o me hace sufrir, cuando mi familia se enfrenta con dificultades o caigo enfermo, cuando mis planes y esperanzas se frustran o soy arrastrado con pruebas y tentaciones, ¿no es maravilloso saber que en última instancia no es una persona, ni las circunstancias, ni una serie de eventos los responsables? ¡No!

Todo lo que me acontece viene de las manos de mi Padre Celestial, quien me ama.

La segunda frase, *«¡Es el Señor!»*, me dice: cuando sufrimientos, dificultades y pruebas no esperadas entran en mi vida, en realidad es el Señor que está llamando a mi puerta, mi Señor Jesús. Él me ama y quiere venir a mí a través de mis necesidades. Y si te encuentras en una necesidad ahora, Él hará lo mismo por ti. ¿Todavía no lo ves? ¿No lo reconoces? ¿O te sientes desanimado como los discípulos, en el Mar de Galilea, después de la resurrección de Jesús? Ellos estaban en una situación de gran necesidad. El Señor Jesús no andaba más con ellos. Por su causa habían dejado sus profesiones y todo lo demás para seguirle y ahora se encontraban sin sustento. Llegó hasta el punto en que no tenían nada que comer. Su única esperanza era alcanzar una buena pesca, y eso tampoco sucedió. En todo parecía como si Dios estuviera en contra de ellos, porque no recibieron ayuda. ¿El Señor por qué les permitió experimentar esta situación difícil? ¡Solamente para que tuvieran un encuentro con Él!

Pero, ¿quién fue el que se dio cuenta de que era el Señor quien les preguntó: «*Muchachos, ¿no han pescado nada?*» (Jn. 21:5). Fue Juan, porque verdaderamente amaba a Jesús. Conocía la forma de ser de Él. Tales palabras amorosas solamente podían venir de los labios de nuestro Señor Jesucristo. Les llamó «muchachos», de una forma hasta más tierna que cuando anduvo con ellos por tres años. Ahora les preguntó si tenían algo para comer. Aunque ya no tiene un cuerpo terrenal, nuestro Señor resucitado se preocupa por saber cómo están sus discípulos y si no les falta nada. Éste es el momento cuando Él se les acerca, pero aparte de Juan, los discípulos fracasaron en reconocer al Señor; no percibieron su amor... y, a menudo, a nosotros nos pasa lo mismo.

Oh, que el Señor pueda abrir nuestros ojos para ver su amor, para que podamos decir en medio de nuestras necesidades: «*¡Es el Señor!*». Cuando estoy en necesidad, su amor le hace acercarse a mí. Es como si el Señor preguntara: «*Mi hijo, ¿te falta alguna cosa?*

Yo, el Señor, estoy a tu lado y dispuesto a ayudarte. Y verás que tus necesidades se transformarán en una maravillosa experiencia porque vengo a ti en medio de tus necesidades. Confía en mí. No fijes más tus ojos en las personas ni en las circunstancias, sino fíjalos en mí. Yo, Jesús, quiero que me veas, sí, que me recibas y me muestres amor. Piensa en esto cuando surjan los problemas: que yo me acerco para ayudarte. Verdaderamente, cuando empezaron tus problemas, yo estaba en camino, y ahora estoy presente... solamente tú no me ves. Ahora déjame abrir tus ojos: Yo, el Señor, soy quien viene a ti, y no esta necesidad o la persona que te causa dificultades».

En aquel entonces, la expresión de Juan, «*¡Es el Señor!*», transformó todo. De la misma manera he experimentado desde hace años la transformación de mis necesidades cuando cito esta frase. Entonces, soy consolada y mi corazón se llena de paz y confianza.

La otra fuente de la cual siempre he recibido ayuda es el saber que mis dificultades están relacionadas con un propósito muy maravilloso de Dios. «*Él tiene planes admirables, y los lleva a cabo con gran sabiduría»*. De acuerdo con su consejo divino, Él me está guiando a una meta gloriosa, a través de mis problemas. Sí, su consejo es maravilloso. En tiempos de profundo sufrimiento he experimentado que esto es verdad. Qué gran consuelo es saber que, detrás de cada sufrimiento que me llega, hay un propósito de Dios que proviene de su corazón, el Eterno Amor. El sufrimiento trae en sí un gran tesoro (el cual muchas veces he reconocido sólo más tarde). Pues, sus pensamientos son infinitamente más elevados que los míos. Mirando retrospectivamente a lo largo de mi vida, sólo puedo adorar al Señor diciendo: «Sí, a través de acontecimientos dolorosos, tú guiaste todo a una meta maravillosa, lo cual me llena de admiración y asombro. Donde destruiste, creaste algo nuevo de las ruinas». Sus correcciones fueron disciplinas de amor, con las cuales el Señor me quería purificar y preparar para el cielo. De acuerdo con sus divinos consejos, situaciones complicadas fueron ordenadas y se encontraron soluciones a grandes problemas y dificultades, a veces después de años, pero de una manera maravillosa.

Al haber experimentado esto tantas veces, puedo quedarme en paz cuando estoy enfrentando nuevas aflicciones y problemas sin solución. Resuena triunfalmente en mi corazón la certeza: «Tus planes amorosos están detrás de todo esto y en esta dificultad también me estás guiando a una meta gloriosa».

En medio de tales situaciones es como si yo estuviera en un barco que se llama: «Planes y propósitos de Dios». El Señor Jesús mismo es el piloto y guía el barco sobre las olas. Ellas pueden ponerse furiosas y amenazar con hundirnos, pero el piloto mantiene el barco bajo control y seguro en sus manos. Cuando me siento en el barco de sus planes y propósitos, solamente quiero lo que Él ha planeado para mí, cómo Él quiere dirigirme y lo que Él proyecta hacer conmigo. Entonces, experimentaré que este barco llegará a las orillas de la «Gloria». Muchas veces, ya en esta vida, vemos cuán maravillosos son sus planes y propósitos. Pero si no es ahora, entonces más tarde veré a cuál meta gloriosa Él me ha guiado.

Así que probémoslo, mis queridas hijas, y cuando surjan problemas, sean pequeños o grandes, digamos: «Es el Señor». Y cuando la guía de Dios parezca dura e incomprensible, que nuestra respuesta sea: «Nada me puede pasar fuera de lo que tú has planeado en amor, mi amado Padre, y que es bueno para mí. Y por eso deseo andar este camino, aunque me parezca difícil. Pues no quiero oponerme a tus maravillosos planes para mi vida. De otra manera yo te impediría guiarme a una gloriosa meta hacia la eternidad». Por eso, encomendémonos siempre en las manos del Padre, diciendo: «Me doy por entero a tus divinos planes y propósitos». Con esto subamos a este barco que nos llevará sanos y salvos sobre las olas hasta la Ciudad de Dios.

Al ver cómo nuestro Dios, hoy en día, es tan odiado, burlado, blasfemado y sobrecargado de sufrimiento, ¿no es nuestro deseo traerle gozo? Esto haremos cuando nos entreguemos sin reservas a su voluntad.

En esta perspectiva, estas frases toman un profundo significado y, si las hacemos propias, descubriremos su potencial. Por tanto, cuando las dificultades, incredulidad, desánimo y hasta desesperación nos quieran oprimir, entonces siempre de nuevo, nuestro Señor Jesús deberá oír de nosotros:

«¡Es el Señor!
Eres tú, mi Señor Jesucristo».

En medio del sufrimiento, adoremos al Padre por su amor:

«Esto es todo parte de tu maravilloso plan, Padre mío, y tú guiarás todo a una meta gloriosa».

A Él queremos entregarle nuestra confianza y decir:

«Nada me puede pasar fuera de lo que tú has escogido para mí, querido Padre, y lo que es bueno para mí. Te doy gracias. Aquí estoy, soy tu hijo, quien en ti confía; deseo alegrar tu corazón con mi confianza».

¡Qué gran bendición nos ha dado el Señor con estos versos, mostrándonos aún otro camino, donde el sufrimiento puede ser transformado en ganancia!

Con mis saludos cariñosos y recordándoles a cada una en mis oraciones.

Madre Basilea

«*Lo que sufrimos en esta vida
es cosa ligera, que pronto pasa; pero
nos trae como resultado una gloria
eterna mucho más grande
y abundante.*

*Porque no nos fijamos en
lo que se ve, sino en lo que no se ve, ya
que las cosas que se ven
son pasajeras, pero las que no se ven
son eternas*» (2 Co. 4:17,18).

«*Considero que los sufrimientos del
tiempo presente no son nada si los
comparamos con la gloria que
habremos de ver después*» (Ro. 8:18).

NOVEDADES EDITORIALES

ASÍ SEREMOS DIFERENTES
Basilea Schlink

El propósito de este libro es prescribir "medicina espiritual" para tratar uno por uno los rasgos pecaminosos que pueden desfigurar la vida del cristiano. Ofrece ayuda para que podamos reconocer esos pecados en nosotros mismos y enseña cómo remediarlos.

¿QUÉ ES LA BATALLA ESPIRITUAL?
Basilea Schlink

Hoy, Satanás anda como león rugiente queriendo hacernos daño, atormentarnos y destruir todo lo bueno que Dios nos ha dado. Con este libro, la autora nos explica qué puede hacer el cristiano ante esta realidad y cómo hacerle frente al mal que nos rodea y afecta nuestras vidas.

CÓMO PONERSE EN LA BRECHA
Basilea Schlink

"¡Orar correctamente es permanecer en oración hasta que Dios conteste!".
¿Sabes suplicar e implorar hasta que llegue la respuesta? ¿Sabes proclamar el nombre victorioso de Jesús en contra del poder de Satanás? Este pequeño libro enseña cómo lograr una oración eficaz.

NOVEDADES EDITORIALES

EL TESORO ESCONDIDO DEL SUFRIMIENTO
Basilea Schlink

Este libro te muestra las bendiciones escondidas que puedes hallar en tus sufrimientos. Con el apoyo de la Palabra de Dios y basada en su propia experiencia al pasar por todos estos sufrimientos, la autora te convence de mirar con nuevos ojos estos momentos de dolor.

TRANSFORMA EL FRACASO EN VICTORIA
Martyria Madauss

Con términos sencillos y prácticos, la autora te explica cómo llevar una vida cristiana victoriosa, con base en la carta de san Pablo a los Romanos. Concluye que los casos perdidos no existen, puesto que aun nuestro fracaso puede convertirse en una victoria para el Señor, si progresamos en la fe.

LA VICTORIA FINAL PERTENECE AL SEÑOR
Basilea Schlink

En medio de las olas de pecado, Jesucristo emergerá triunfante mostrando su gloria con poder. ¡Qué gloriosa esperanza tienen los fieles del Señor! ¡Dios tiene nuestro mundo en sus manos! Él tiene la última palabra.

NOVEDADES EDITORIALES

LAS BENDICIONES DE LA ENFERMEDAD
Basilea Schlink

Este libro nos invita a hablar con nuestro Padre celestial acerca de nuestros dolores, pedir su ayuda y esperar en Él con una confianza inmensa.

EL MUNDO INVISIBLE DE LOS ANGELES Y LOS DEMONIOS
Basilea Schlink

En este libro, Basilea Schlink, nos describe el ministerio de los ángeles de Dios y nos explica brevemente el origen del poder satánico.

AMADOS POR SU CORAZÓN DE PADRE
Basilea Schlink

Cada vez que oramos confiadamente a Dios Padre, nos acercamos más a su corazón. Así nace una íntima relación de amor con Él, entonces sus ojos fraternales velarán hasta por el más pequeño detalle de la vida de los suyos.